指揮官の決断

満州とアッツの将軍　樋口季一郎

早坂 隆

758

指揮官の決断——満州とアッツの将軍　樋口季一郎◎目次

序章

事件当時、まだ四歳の少女だった斎藤智恵子さんは、ハルビンでの生活の場面をいくつか記憶にとどめている。

「昭和十三年頃、私たち家族は満州国のハルビンにおりました。やや断片的なものですが、確かに記憶はあります。私はよく家でピアノの練習をしていました」

七十五歳（取材時。以下同）になる智恵子さんが、そう言って昔を懐かしむ。

ハルビンで撮った写真が残っている。官邸の一室で写したというその一枚には、向かって右に樋口季一郎、左に妻の静子がソファーに座り、二人の間におかっぱ頭をした四女の智恵子さんがいる。樋口はネクタイの上に部屋着をはおり、静子は和装である。部屋の壁には漢語の掛け軸が飾られ、ソファーの脇にはラジオが置かれている。

「日曜日には、父と母と私、そして運転手さんとで、よくドライブに行きました。スンガリーとも呼ぶのですが、いわゆる松花江《しょうかこう》ですね。あの辺りまでよく行きました。ただ『匪賊が出る』ということで、それ以上、離れた所までは行きませんでした」

松花江はアムール川最大の支流で、ハルビンの北側を流れる。満州語では「松阿里烏喇（スンガリ・ウラー。sunggari ula)」と呼ばれ、これは「天の川」という意味にあたる。

智恵子さんのハルビンにまつわる記憶の中で、特に鮮明に刻まれている一つの場面があるという。

「毎朝、父は運転手さんの運転で特務機関まで行くのですが、私もよく一緒に車に乗ってついていきました。到着するとそこで父と別れて、私はまた車で家まで戻るんです」

智恵子さんにとって、それは一日の中の大きな楽しみの一つであった。ところがある日、母から、

「今日は行っちゃだめ」

と強く言われたことがあったという。

「私がそれでも『行く行く』と駄々をこねたら、母に初めてお尻をペンペンと叩かれました」

その時、智恵子さんにその理由はわからなかった。後日、母が、

「お父様がクビになる。日本に帰ることになるかもしれない」

などと口にしながら、荷物を整理していたことを智恵子さんは覚えている。

「今から思えば、その頃がユダヤ人難民の事件が起きていた時だったのかもしれません。その時の私は詳しいことは何もわかっていませんでした。私が救出劇のことを知ったのは、戦後ず

っと経ってからのことです。ただ、母は当時からすべてを知っていたのでしょう」

「日本人によるユダヤ人の救出劇」と言えば、杉原千畝《ちうね》が有名である。

一九四〇年（昭和十五年）、リトアニア駐在の外交官だった杉原は、同国に逃げてきた約六千人のユダヤ人難民に対して特別にビザを発給し、その命を救ったと言われる。

だが実は、救出劇はもう一つ存在した。杉原のビザ発給より二年も前にあたる一九三八年（昭和十三年）三月、満州のハルビン特務機関長だった樋口季一郎は、ナチスの迫害からソ満国境の地まで逃げてきたユダヤ人難民に対し、特別ビザの発給を実現させた。この救出劇は、舞台となった地名から「オトポール事件」と呼ばれている。

ヘブライ大学名誉教授である歴史学者のベン・アミー・シロニー氏は、論文『Politics and Culture in Wartime Japan』（Oxford, 1981）の中で、樋口の功績について触れている。シロニー氏は私からの、

「樋口季一郎をどう評価するか」

という問いに対し、こう答えた。

「当時はドイツだけでなく、実はアメリカやイギリスも、ユダヤ人に対して非常に冷たい態度を貫いていました。そんな中、日本はドイツと関係を強めていたにもかかわらず、ユダヤ人に対して比較的、公正な対応をしていました。樋口季一郎という存在も、そんな潮流の中で捉え

ることができます。樋口という人物がいたことを、日本人はもっと知っていていいと思います」

シロニー氏はさらにこう続けた。

「しかし、そういう私も、樋口がどのような生い立ちで、どういった人生遍歴を持った人物だったかについては、実はあまり知らないのです。資料がほとんど残っていませんから。ただ、これはあなた方、日本人が調べるべき事柄だと言えるのかもしれませんね」

しかし、オトポール事件は、樋口の生涯における木の葉《こ は》の一面でしかない。

シロニー氏を含む少なくないユダヤ人たちから今も感謝される樋口だが、オトポール事件から五年後の一九四三年（昭和十八年）五月二十一日、彼は札幌月寒《つきさっぷ》の北方軍司令部の一室で苦渋に顔を歪めていた。

アリューシャン列島の西の端に位置するアッツ島では、樋口の指令下にある現地部隊が、米軍の上陸部隊と激しく交戦していた。戦力的に絶対的不利にある現地軍に対し、一度は増援が決まったものの、その決定は大本営により破棄されることとなった。それが意味する所は、アッツ島の放棄と、増援を信じて戦う現地部隊の見殺しであった。樋口は大本営の決定を、自らの名前において現地に打電した。一説には樋口はこの時、号泣したとも伝えられている。

アッツ島では二千六百名を超える日本人将兵が犠牲となった。アッツ島の戦いは、先の大戦

札幌時代の樋口季一郎

において、大本営によって「玉砕」という言葉が用いられた最初の戦いとなった。かつて多くのユダヤ人の生命を救った男は、部下の日本人の命を救うことができなかったと言える。樋口は「日本初の玉砕戦の司令官」という汚名を背負うこととなった。

樋口の人生には、光と影があざなえる縄のごとく絡まり合いながら存在している。それは生きとし生けるものすべてに言えることかもしれないが、樋口の場合、その明暗が特に濃い。

四女の智恵子さんは言う。

「父は生前、ユダヤ人救出の話はしませんでした。ほとんど語らずに逝きました。父の心の中にあったのは、実はオトポール事件ではないんです」

智恵子さんが鄭重な口調で続ける。

「オトポールでの出来事は、父の人生のほんの一部でしかありません」

彼女はそう言って一つ溜息をつ

いた。

「でも、こうして改めて見ると、父親というのはいつになってもやはり懐かしいものですね」

アルバムの中の父親の写真に改めて見入った後、智恵子さんは遠景を手繰り寄せるようにして静かに目を細めた。

第一章　オトポール事件の発生

姿を現した難民

一九三八年（昭和十三年）三月八日、ハルビン特務機関長である樋口季一郎のもとに、部下から一つの報告が届けられた。満州国西部の満州里駅の対岸に位置するソ連領オトポールに、ユダヤ人の難民が姿を現したという。

当時、陸軍少将であった樋口は、その年の八月に五十歳を迎える齢である。

難民の多くは、ドイツを脱出したユダヤ人だという。アドルフ・ヒットラー率いるナチス・ドイツが、ユダヤ人に対する弾圧の態度をあからさまにし始めたのは、一九三三年二月頃のことである。大いなる負の嵐は、その後も日に日に勢いを強め、これにより大量のユダヤ人難民が発生するようになっていた。

オトポールに姿を現した彼らは、まずドイツからポーランドを目指したが、ポーランド政府は受け入れに難色を示した。ナチス・ドイツの眼を気にしたためである。

難民たちが次に向かったのはソ連だった。当初、ソ連政府は入植を許可した。その当時、ソ連政府はシベリアの開拓に本腰を入れ始めていたが、そこでの労働力としてユダヤ人難民を利用できないかと考えたためである。一九二八年、アムール川沿岸にロシア系ユダヤ人の自治区を設置したのを皮切りに、ソ連政府は「ビロビジャン」と呼ばれるユダヤ人入植地の設置を開始した。在日ドイツ大使館付武官などを経て、後にジャーナリストとなったハインツ・E・マウルによれば、その設立意図は次の通りである。

一、ユダヤ人居住区を南からの中国あるいは日本による攻撃に対する緩衝地域とする。
二、ユダヤ人選別、追放の拠点とする。
三、煽動的な報道で広まったスターリンの暴虐というイメージの改善。
四、西側の援助を得て、アメリカのソ連承認を実現する。

（『日本はなぜユダヤ人を迫害しなかったのか』芙蓉書房出版）

一九三四年には、ビロビジャン・ユダヤ人自治州が正式に発足。世界各地からユダヤ人移住者が集まった。

ドイツを脱出したユダヤ人難民たちが目指したのが、このビロビジャンであった。流浪の民たちは、この地に唯一の望みを託し、極寒の不毛の地へと向かったのである。

しかし、それまで都市部で暮らしていた多くのユダヤ人には、農作業の経験など無きに等しい。一度は入植を許可したソ連政府も、労働力として計算できないことがわかると、途端にその後の滞在を拒否した。こうして、彼らは再び安住の地を求めて彷徨《さまよ》い始めたのである。

樋口の前に姿を現したのは、そんな彼らであった。オトポールは、シベリア鉄道ザバイカル線のソ連内の終着駅である。列車は次の満州里（満州領の始発駅）まで乗り入れているが、満州国外交部が入国を拒んでいるために、難民たちはその手前のオトポールで立ち往生しているという。

満州里は、かつて満州国と外モンゴルとの間の国境画定のための満州里会議が行われた場所であり、満州国側の国境線付近に位置する玄関口である。樋口も以前に何度かこの地を鉄道で通ったことがあった。

ユダヤ人難民の願いは、満州国を通って上海へ抜け、そしてアメリカやオーストラリアといった国々へと渡ることだった。上海は当時、世界でただ一カ所、ユダヤ人難民をビザなしで受け入れている都市であった。

難民たちは、無蓋貨車に揺られてソ満国境まで逃げ延びてきていた。しかし、満州国は入国ビザの発給を頑《かたく》なに拒否。日本の傀儡《かいらい》的な色彩の強い満州国の外交部が気にしたのは、日本とドイツの存在であった。日本とドイツはこの時期、すでに防共協定（一九三六年）を結ぶなど、互いに接近し合っている。

接近という言葉では、表現の程度が弱いだろう。一九三七年（昭和十二年）七月から始まった中国との戦争に解決の糸口を見出せないでいた日本は、和平交渉の斡旋《あっせん》役として、ドイツに仲介を頼んでいた。一九三七年十一月頃から、東京のドイツ大使館と外務省との間で細かな折衝が行われていた。日本はドイツへ大きな期待をかけていた。

そんな中で、ドイツの国策に反するような態度を一陸軍軍人である樋口が取りづらかったのは必定である。

入国を拒まれたユダヤ人難民たちは、戻ることもできず、オトポールの地で立ち往生する形となっていた。

三月のこの地は、朝晩には氷点下二十度を軽く下回る。難民たちは、寒風吹きすさぶ原野にテントを張り、満州国に対して助けを求めていた。

すでに凍死者が出ているという情報も、樋口の耳に届けられた。樋口は以前、駐在武官としてポーランドのワルシャワに滞在した経験がある。そんな樋口なら、ユダヤ人難民が出現した背景は、すぐに理解できたであろう。

座視することが忍びないのは当然だとはいえ、行動を起こすことは容易ではなかった。樋口は自らの困難な決断を迫られていた。

ハルビン特務機関

樋口が属した特務機関という組織についての説明をしておきたい。

特務機関とは今では耳慣れない言葉だが、言わば情報機関であり、文字通り、特殊な任務を遂行するための軍事組織である。任務の規定としては「統帥《とうすい》範囲外の軍事外交と情報収集」ということになる。軍務の主な具体的内容は、占領地域における情報収集、諜報活動、宣撫工作、対反乱作戦など広範囲にわたる。樋口の軍人人生の前半は、この特務機関と密接に結びついていた。

ハルビン特務機関は、シベリア出兵時に関東都督府陸軍部付として黒沢準中佐が駐在したのがその嚆矢《こうし》で、その後、ソ連や内蒙など国境周辺の動向の監視、満州国建国後は満州国に対する内面指導などを積極的に行うことをその主任務としていた。オトポール事件が発生した一九三八年当時、満州一帯には多くの特務機関が存在したが、これらの機関の総本部として位置づけられていたのがハルビン特務機関である。

重要な任務の一つが諜報であるが、これは具体的な内容としてはソ連に関する監視と最新の情報収集である。ソ連領内への潜入には、高度に訓練された白系ロシア人を利用した。白系ロシア人とは主にロシア革命から逃れてきたロシア人のことを指す。その他、諜報の裏返しであるロシア側に対する防諜、さらには宣伝（宣撫）などを行った。

機関長である樋口には、佐官クラスの補佐官が四名つき、その下の機関員たちは情報、密偵、宣撫、教育、暗号などの工作班に分かれた。

このハルビン特務機関の機関員の一人に、影佐《かげさ》禎昭大佐（後に中将）がいる。後の一九三九年（昭和十四年）、日本陸軍は日中戦争の戦局打開のため、蔣介石と対立する中国国民党親日派の汪兆銘（汪精衛）に協力し、汪政権樹立を計画するが、その工作に活躍したのが影佐率いる影佐機関（梅機関）であった。この汪政権樹立に際しては樋口も関わったが、それは後に詳述する。

汪政府樹立後、影佐は新政府の軍事最高顧問に就任した。余談だが、谷垣禎一自民党総裁は、影佐の孫にあたる。「禎一」の「禎」の字は、影佐禎昭の一字からとられている。

機関員たちから樋口の所にまで上がってくる資料には、ソ連が極東の地において、鉄道の敷設や道路の建設などを急速に進めており、この地に対して興味という以上の視線を送っている様子が刻々と記されていた。これらソ連の努力の先に、日本との戦争を想定しているであろうことは、日本側から見れば明らかであった。樋口はそういった意味からも、中国との紛争はいたずらに拡大することなく、速やかに解決し、その上でソ連の脅威に対峙する必要があると考えていた。

しかし、多くの戦争の土壌にあるのは、相互の警戒心の膨張である。この時期、ソ連はソ連で、日本に対する抜きがたい警戒心を抱いていた。一九三六年に締結された日独防共協定は、日本とドイツの双方から挟撃されることを極度に恐れるスターリンにとって、悪夢への第一歩のように感じられた。実際、日独防共協定は、表向きはコミンテルンの活動を制限するための情報交換が主旨となっていたが、内実は緩やかな対ソ軍事同盟としての側面も有していたのである。

この時期の樋口は、陸軍内においてすでにロシア通として知られている。樋口はソ連と国境を接する満州の地において、ソ連の動向に関する情報収集を徹底することを求められた。中国と戦端が開かれた後の日本政府にとって、ソ連軍がどのような動きを見せるかは、重要な懸案事項の一つであった。

満州国とソ連の国境線は、実に三千キロ前後にも及ぶ。しかも、その国境線は曖昧なものであり、両者の主張には大きな隔たりがあった。関東軍は主要な地域に国境警備隊を配備していたが、不安定な情勢が慢性的に続いていた。満州国建国直後には、諸外国の中で最も早く満州国の実質的な承認を行うなど、一時は融和的な姿勢を見せたこともあったソ連であったが、日中戦争勃発後は、極東ソ連軍による牽制行為がより積極的なものとなり、国境付近での衝突がすでに度々起きていた。

関東軍の基本的な指針としては、国境警備は主に満州国の軍隊と警察が行うことになっていた。日本の中央部も、関東軍は小さな国境紛争は問題とせず、対ソ戦の準備に専念するよう指示していた。しかし、小さな国境紛争が、大規模な軍事衝突に発展する危険性は十分にあった。

そんなハルビン特務機関の機関長である樋口が直面したのが、ユダヤ人難民の発生という事態であった。

アブラハム・カウフマン

樋口はまず、満州国外交部ハルビン駐在員の下村信貞との協議を開始した。この下村に関して、樋口は戦後「若宮三郎」という名前で手記などに名をしたためているが、これは仮名か記憶違いで、この若い外交官の本当の名前は下村信貞という。下村は東京帝国大学卒業の外交官で、以前より樋口とは面識があった。下村は終戦時のハルビン代表部次長である。

もう一人、難民の救済を切々と樋口に訴えたのが、極東ユダヤ人協会の会長であり、ハルビン市内で総合病院を経営する内科医でもあったアブラハム・カウフマンである。

一八八五年、ロシア内のユダヤ人定住地域であるチェルニゴフ県ムグリンにカウフマンは生まれた。家は比較的、裕福で、ユダヤ教正統派の家庭であった。カウフマンは五歳の時に家族と共にペルミに移住。一九〇三年にギムナジウム（ヨーロッパの中等教育機関）を卒業後、スイスのベルン大学医学部に留学した。

一九〇九年に同大学を卒業後、ロシアに戻ってペルミの地で医師として働く一方、シオニズム運動にも積極的に関わるようになる。一九一二年からはハルビンに居を構え、主要なシオニスト組織の極東地域の代表となった。一九一九年には、ハルビン・ユダヤ協会の会長の座に就いた。

ハルビンは元々、ユダヤ人の多い街である。一八九八年（明治三十一年）、東清鉄道（中東鉄道）建設と、中国進出の拠点として帝政ロシアが整備した都市がハルビンだが、本稿において特筆すべきは、ロシア本土ですでに制度化されていたユダヤ人差別が、この地にはほぼ存在しなかったということである。時の大蔵大臣ウィッテは、極東ロシアの経済振興を何よりも重視し、大規模な資本を有するユダヤ系企業に対して寛容な態度をとった。結果、ユダヤ資本はこの地域の経済発展に重要な役割を果たした。

しかしその後、ハルビンの街は日本を含めた周囲の大国の意思に振り回される。日露戦争の際には多くのユダヤ人が流入した。一九〇八年頃には、この街に住むユダヤ人の数は八千人にのぼっていたという。

さらに、その後のロシア革命時にもその数は増え続け、一九二〇年には一万人を超えたとされる。満州事変が勃発して満州国が建国されると、一九三三年（昭和八年）七月にハルビン特別市が成立。東省特別区市政管理局の管轄となった。この当時、約一万五千人のユダヤ人が、この地で暮らしていたという。

盧溝橋事件の起きた一九三七年七月には、浜江省管轄の普通市に改編され、その後も満州とロシア・ヨーロッパを繋ぐ鉄道輸送の要衝として発展を続けた。しかし、日中戦争の戦線が拡大するにつれて、当地の情勢が不安定になると、上海や天津、青島《チンタオ》などに移る者も増え始めていた。

そんなハルビンの有力者であるカウフマンの名前は、日本の外務省史料『猶太人《ユダヤ》問題』にも登場する。満州国建国後、ハルビンでユダヤ人関連の問題が起きた時には、日本側はカウフマンに意見を求めていた。カウフマンは、ハルビンのユダヤ人社会と日本との貴重な接点と言えた。また、現地ハルビンの日本人の間では、医者としての評判も高く、多くの日本人が世話になっていた。アジア地域におけるユダヤ人解放運動の実力者として有名であったカウフマンは、大の親日家でもあった。

実はこのカウフマンを通じて、樋口はヨーロッパにおけるユダヤ人の窮状について、難民が発生する以前から最新情報を手に入れていた。

第一回極東ユダヤ人大会

オトポールに難民が発生する三カ月前にあたる一九三七年（昭和十二年）十二月、このカウフマンからの要望に樋口が応える形で、ハルビンの地で第一回極東ユダヤ人大会が催されている（一九三八年一月とする記録もあるが誤り）。

ハルビン市の商工クラブを会場として行われたこの大会には、千人近いユダヤ人が傍聴者として集まった。彼らは満州国内はもとより、上海や香港からも駆けつけた人たちであった。

樋口の周囲からは、ドイツの国策に反することになる大会を認めない方が良いとする声も大きかったが、樋口は結局、開催を認めた。さらに、自ら来賓の一人として大会に出席することに決めた。

大会の開催まで、ユダヤ人との実務、交渉に奔走したのは安江仙弘《のりひろ》である。樋口と安江は陸軍士官学校の同期生（二十一期）であり、安江はユダヤ問題のエキスパートであった。

一八八八年（明治二十一年）、秋田市に生まれた安江は、京華中学校、陸軍中央幼年学校を経て、陸軍士官学校を卒業。一九一八年（大正七年）、シベリア出兵の際にユダヤ人問題に関心を持ち、本格的な研究へと入った。一九二七年（昭和二年）には、酒井勝軍《かつとき》らと共にパレスチナやエジプトにまで赴き、その報告は『猶太の人々』という題名で一九三四年（昭和九年）に刊行された。このような活動を経て、陸軍内で「ユダヤ通」としての地位を確立していった。

安江のユダヤ観は、そもそもは反ユダヤから始まった。それが一九三〇年代前半まで続くが、その後、冷静な現実主義的傾向を強くし、親ユダヤへと転じていく。

この安江の他、当時、ハルビン憲兵隊本部の特高課長だった河村愛三憲兵少佐（後の大佐）も、ユダヤ問題の専門家として、樋口を大いに助けた。

満州事変以後、特務機関と憲兵隊との間には、業務上の衝突も少なくなく、円滑な関係にあるとは言えなかった。そこで関東軍の指令により、特務機関の所在地にある憲兵隊特高課長は、特務機関付の兼務となったのである。

そうした関係上、河村は樋口と交流を持つに至った。そもそも、樋口にカウフマンを紹介したのも、この河村であったと言われている。

大会当日、樋口は軍服ではなく平服で現れた。「一日本人として出席する」という意識の表明であったろうか。

この時期のハルビンでは、白系ロシア人とユダヤ人との間で激しい抗争が続発しており、樋口のユダヤ人大会への出席は、ロシア人側を無用に刺激する懸念もあった。白系ロシア人は、共産党を背後で操っているのはユダヤ人であるという陰謀説から、ユダヤ人と激しく敵対していた。会場にも反ユダヤ派が潜り込み、妨害を企てているという情報が錯綜していた。

ハルビン・ユダヤ協会側は、万が一の事態に備え、会場に護衛のための人員を入れた。

その中の一人に、後のタイトーの創業者であるミハエル・コーガンがいた。

ミハエル・コーガンは、一九二〇年一月、ロシア帝国のオデッサに生まれたロシア系ユダヤ人である。ロシア革命勃発後、混乱を避けるためにハルビンに移住。安江仙弘と出会い、この第一回極東ユダヤ人大会に参加した。

一九三九年（昭和十四年）に来日。東京で貿易業を学んだ。戦後の一九五〇年（昭和二十五年）に「太東洋行」という個人営業の輸入会社を創業。一九五三年（昭和二十八年）に太東貿易株式会社を設立し、これが後のタイトーとなる。

そんなコーガンがまだ十八歳の頃、極東ユダヤ人大会の場において、樋口の護衛役についていた。歴史とは広大な裾野の中で、時に意外な接点を披露して私たちを驚かせる。

大会はカウフマンの開会の辞で始まり、樋口に関する感謝の言葉も述べられた。その後、壇上には満州や中国のユダヤ人コミュニティを代表する二十一人が次々と立ち、口を揃えてナチスの非道を訴えた。

この時の写真が一枚、残っているが、それを見ると、来賓席のカウフマンの向かって左隣に樋口が座っているのがわかる。

最後に舞台に立ったのが樋口であった。樋口はこの時、ナチスを批判し、ユダヤ人の立場を擁護する演説を行ったと言われている。

樋口が演説を終えた瞬間、会場は大きな拍手で包まれたという。前述のハルビン憲兵隊本部の特高課長である河村愛三は、この大会にも来賓の一人として出席していたが、この時の模様を戦後の一九七〇年（昭和四十五年）、社団法人「日本イスラエル協会」の機関誌である『日本とイスラエル（8）』に寄稿し、こう述べている。

〈樋口少将は来賓代表として祝辞を述べ、猶太民族の建国、民族の擁護、猶太問題に対する各国の理解ある態度を堂々と強調され、参集した猶太人に多大の感銘を与え、大会の開催を極めて有意義のものとしました〉

翌日、地元の『ハルビン・スコイウレメイヤ』紙は、この大会のことを一面で大きく報道した。一方、この大会の開催について、日本の新聞では一行も触れられなかった。これは、関東軍から圧力がかかったためだったとも言われている。

その後、大会の開催、並びに樋口の行った演説に関して、関東軍司令部の内部から峻烈な批判の声が相次いだ。中でも、冨永恭次大佐は、かなりの強硬意見を述べたとされる。他にも、部内の作戦課員などからも批判があがったが、懲罰問題にまで発展することはなかった。

一方、カウフマンの主宰するハルビン・ユダヤ協会は、この大会を機に極東ユダヤ人協会へと拡充されることとなった。

樋口の決意

そんなカウフマンが、オトポールに発生した難民たちの救助を樋口に強く求めていた。カウフマンの訴えを重く受け取った樋口だが、行動は慎重に進めざるをえなかった。人道的には一刻も早く救出のために行動を開始すべきだと痛感していたが、役職としての重責が彼を悩ませた。ユダヤ人大会の開催一つだけでも、軍内で波紋を呼んだことを考えると、受け入れの決定を下すことは容易ではなかった。

人心とは、役職によって制限される。日独の友好関係は日に日に強くなっており、特に陸軍内においては、親独派が主流であった。

さらに、この問題は本来、満州国外交部に任せるべき用件であり、日本の一特務機関長の独断で行動していいものかという煩悶もあった。もし樋口が満州国外交部に何らかの指示を与えれば、これはある種の権限の逸脱とも言える。だが現実的には、関東軍は満州国の施政全般に対する指導権を保持しており、日本は「内面指導」と称する介入ができる立場にある。

この内面指導権について、関東軍参謀副長の石原莞爾《かんじ》は返上を強く主張していた。この石原と樋口は、実は中央幼年学校時代からの同期生であり親友である。内面指導に関する樋口の思想的立場も、本来は石原に近かった。しかし、難民発生という目の前の事実と対峙したこの時ばかりは、その権力の行使の可能性を考慮せずにはいられなかった。

樋口は熟慮を重ねた上で、難民の受け入れを決めた。満州国外交部の決定を待っていれば、その間にも難民は凍死していく。さらに、ドイツの顔色ばかりうかがっている満州国外交部が、救出のために動く可能性は低いと思われた。

彼は自身が下した決定の中で、その後に起こりうる自らの失脚の可能性について、十分に覚悟していた。

樋口は下村に対し、「人道上の問題」として、難民受け入れに向けた事態の改善を強く指示した。下村はその後、外交上の手続きに奔走する。同時に、樋口はカウフマンに対し、食糧や衣服などの手配を要請した。

樋口が難民受け入れの準備を進める中で、部下の中には翻意を迫る者もいた。陸軍中佐の松谷磐もその一人である。樋口に対し日頃から並々ならぬ敬意を抱いていた松谷は、樋口の立場を心配し、自重を促した。

しかし、樋口の決断にもはや揺るぎはなく、その指示の速さに松谷は感嘆するばかりであったという。

次々と部下に指示を与えた後、樋口が向かった先は、南満州鉄道株式会社（満鉄）総裁の松岡洋右のもとだった。松岡とは以前から面識があった。

樋口は松岡に対し、救出のための特別列車を出すことを、かなり強い調子で詰め寄った。満州里からハルビンまでは約九百キロあり、列車の本数も少ない。通常は一週間に客車と貨物車がそれぞれ一本ずつだけという運行であった。難民の輸送には、特別列車を出す必要があった。

樋口は各方面へ指示を与えたが、現場での実務面では、安江仙弘が中心的な役割を担って奔走した。オトポール事件を語る時、この安江の働きも見逃すことができない。


一九三八年三月十二日、夕方のハルビン駅には、満州里からの難民の到着を待つ人たちが集っていた。

その中には、カウフマンの姿もあった。やがて轟音と共に姿を現した列車がプラットホームに停車すると、疲れ切ったユダヤの人々が、一斉に列車から降りてきた。

満鉄総裁の松岡洋右は、樋口の主張を受け入れる形で、特別列車での満州国への入国と移動を認めた。特別列車の運賃は無料とされたが、これも松岡の指示による。配車の交渉や本省への連絡などには、下村が動いた。

ちなみに、この下村は戦後、シベリアに抑留された末、不帰の人となっている。

難民たちには、とりあえず、五日間の満州国滞在のビザが発行された。入国管理を担当する満州国外交部は、ほとんど無条件で滞在ビザを出した。

これは有名な「杉原の命のビザ」の二年半あまり前の出来事である。

夕暮れの色を濃くするハルビン駅には、多くの涙がこぼれたが、そこに樋口の姿はなかった。樋口は自らが表に出ることなく、難民受け入れに関するさらなる実務に奔走していた。樋口の仕事はこれで終わりではなかった。

ハルビンに到着した難民たちは、地元の商工クラブや学校へと収容され、そこで炊き出しを受けた。

アブラハム・カウフマンの息子であるテオドル・カウフマンは、この時の光景を現場で見ていたが、戦後、イスラエルで出版した著作の中で、樋口についてこう書き記している。

〈樋口は世界で最も公正な人物の一人であり、ユダヤ人にとって真の友人であったと考えてい

る〉

（『The Jews of Harbin Live on in My Heart』）

ハルビンの街には、そこかしこにライラックが植えられていた。フランス語ではリラと呼ばれるこの木は、春を告げる落葉樹である。元々、ヨーロッパ南東部が原産の花だが、帝政ロシアが街路樹としてこの地に持ち込んだ。

薄紫色の花が開くとハルビンの街はその芳香に包まれる。

難民たちがやってきた時、リラはまだ蕾であった。

第二章　出生～インテリジェンスの世界へ

淡路島に生まれる

ユダヤ人から「世界で最も公正な人物」と称される樋口季一郎とは、どのような幼少期を送った人物だったのであろうか。私は彼の生まれ故郷である淡路島を訪ねた。

淡路島の南端、かつて阿万《あま》村と呼ばれた辺りは現在、南あわじ市の阿万上町や阿万西町といった住所で表記される。白みのやや強い砂浜からは、海原越しに徳島の山々の連なりを眺めることができ、有名な鳴門の渦潮からも近い。

といっても、浜付近の水面は驚くほど穏やかで、轟々と鳴る海の響きを感じさせることはない。峻烈のすぐ縁《ふち》に静穏がある。

一八八八年（明治二十一年）八月二十日、樋口季一郎は、この阿万村に生を享けた。

かつて季一郎少年が遊んだ海は、現在は海水浴場となり、夏には多くの人々で賑わうが、季一郎の生まれた当時の阿万村は、小さな漁村に過ぎない。

産業としては漁業の他に製塩があり、名前の通り、海女の拠点としても古くから知られた。

樋口が戦後に書き記したものをまとめた『陸軍中将 樋口季一郎回想録』（芙蓉書房出版。以下『回想録』）の巻末に付けられている「樋口季一郎・年譜」によると、出生地が「河万村」となっているが、これは「阿万村」の誤記である。

季一郎は、本名を奥濱季一郎という。樋口姓を名乗るのは、後に父方の叔父にあたる樋口勇次の養子となってからのことである。

一部の資料には「旧姓・奥沢」とあるが、これも誤りである。出生地同様、彼にまつわる資料には間違いが少なくないが、そのことは彼が歴史の表舞台からそれだけ遠ざかってしまっていることを意味している。

本名と出生地からして誤記されているくらいだから、その幼少時代は不明な部分が多い。

季一郎の実父である奥濱久八は、この地域で有数の廻船問屋を営んでいた。久八の妻で、季一郎の実母・まつは、旧姓を村の名前と同じ阿万と言い、阿万作右衛門の三女として生まれた。

現在、淡路島で南淡文化協会副会長などの役職を務める萩原重幸氏は、まつの姉である「りき」の娘「きよみ」の孫という間柄となり、季一郎とは姪の家系の縁戚ということになる。萩原氏は奥濱家、阿万家といった季一郎にまつわる家系図を自ら調べて作成している。

「この当時は親族婚も少なくない時代で、季一郎の場合も家系図はかなり入り組んでいます。この奥濱家というのは、この地でも由緒ある廻船問屋だったようです」

奥濱家が営んだ廻船問屋の歴史は古く、江戸時代には阿波藩からの仕事を引き受けるなど、手広く商売をしていた。そういった伝統ある廻船問屋だったこともあり、明治になってからも、奥濱家の生活ぶりはこの地ではかなり良い方であったという。正月には浜に何隻もの船を連ねたが、それが繋ぎきれなかったほど、多くの船を所有していたという逸話がこの地には残っている。

家業の衰退

しかし、季一郎がまだ幼少の頃、その家業が立ち行かなくなった。開国後の明治社会が変化を繰り返していく中で、旧態然とした廻船問屋は大きな変革を迫られた。新たに登場した洋船は、長期航路での利用に能力を発揮し、和船が主流の廻船問屋は衰退を余儀なくされた。久八も時代の変化の波にうまく乗ることができなかったようである。

後の外務大臣である松岡洋右は樋口の八つ年上だが、山口に生まれた彼の生家も廻船問屋であり、松岡が十一歳の時にやはり破産している。

さらに奥濱家の場合、扱っていた千石船が大きな沈没事故を起こし、その賠償金が事業を大幅に圧迫。伝統ある廻船問屋も没落し、奥濱家の暮らし向きは一気に苦しいものへと転じた。

そんな環境の激変も関係したのだろう、季一郎の少年時代に両親は離婚。まつは、季一郎ら子どもたちを引き連れて同じ阿万村内の実家へと戻った。季一郎の上には「こはる」「こすぎ」という二人の姉がおり、下には「かめの」「ちよの」という二人の妹がいた。季一郎は、四人の姉妹に囲まれた唯一の男子であった。次女「こすぎ」は、絶世の美女であったという話も島には残っている。

この一番下の妹である「ちよの」の孫にあたる郷一成氏の話によると、久八は「まつ」との離縁後に「いま」という女性と再婚し、「こうめ」「勇二郎」「健三郎」「四郎兵衛」という三男一女をもうけたという。季一郎にとっては異母兄弟ということになる。郷氏は実父である敏樹氏（故人）から聞いた話としてこう語る。

「樋口の大伯父さん（著者注・季一郎）は、親戚筋の間でも、大変な誇りだったということです。いわゆる『一族の誉れ』と言いますか。最終的には陸軍中将にまでなったわけですから。これは当時としては大変なことですからね」

郷氏は続ける。

「ただ、幼少時代は家業の衰退や、両親の離婚など、決して恵まれていたわけではなかったようです。その分と言いますか、それをバネにしたのか、淡路島にいた小学校時代から、非常に優秀な生徒だったと聞いています」

三原尋常高等小学校

季一郎は島内の尋常小学校から三原高等小学校へと進んだ。季一郎が暮らした阿万村から三原までは十キロほどあるが、季一郎は早朝、まだ星の瞬きが残る時間に家を出て、通学したという。

淡路島には、淡路人形浄瑠璃という伝統芸能が古くから伝わるが、季一郎も少年時代には、「将来は淡路浄瑠璃の人形遣いになる」

という淡い希望を胸に抱いたこともあったと言われている。その生涯を通じ、音楽などの芸術に強い関心を示し、ヨーロッパ駐在中はオペラ鑑賞にも足繁く通った季一郎だが、その萌芽は重厚な太棹三味線の響きに求められるのかもしれない。

高等小学校在学中、季一郎の成績は常に秀でており、同校を首席で卒業。卒業後は、兵庫県下篠山町にあった旧藩校の名門、私立尋常中学・鳳鳴義塾（現・兵庫県立篠山鳳鳴高等学校）へと進んだ。

この鳳鳴義塾への進学を薦めたのが、季一郎の実父である久八の弟で、後に養父となる樋口勇次である。季一郎から見れば叔父にあたるこの勇次も、そもそもは奥濱家から樋口家へ養子として入っており、当時は陸軍の経理局に勤めていた。鳳鳴義塾はこの時期、軍人志望校としても名高く、この勇次の影響により、季一郎は職業軍人への道を歩んでいくこととなる。もしも、家業の廻船問屋が傾かなかったとしたら、一人息子の季一郎は跡取りとして事業を継いだであろう。家業の没落が、後の陸軍中将を生む契機となったとも言える。

鳳鳴義塾には、丹波地方だけでなく、各地から秀才が集まっていた。高等小学校の卒業まで、淡路島から出たことのなかった季一郎だったが、鳳鳴義塾在学中は寄宿舎へ入り、さらなる勉学に励んだ。

季一郎が一年時の四年生には、後年、駐米大使として活躍する堀内謙介がおり、季一郎は堀内から人格的に大きな影響を受けたと後に述懐している。

大阪陸軍地方幼年学校

一九〇二年（明治三十五年）、季一郎は大阪陸軍地方幼年学校に入学した。

地方幼年学校とは、エリート将校の早期養成のため、明治二十九年に東京、仙台、名古屋、大阪、広島、熊本の計六カ所に創設された全寮制の教育機関である。一校五十名という定員が決められており、つまりは全国で入学を許されるのは三百名のみという狭き門である。年限は三年間であった。

彼らは陸軍内で「ＫＤ」と呼ばれたが、これはドイツ語で「士官候補生」を表す「Kadett」に由来する。

季一郎は他の俊英たちと共に、大阪市東区大手前之町の校舎の門をくぐった。同期には、後に第四軍司令官となる横山勇や、終戦時に第一航空軍司令官として首都防衛の任を担っていた安田武雄らがいる。

地方幼年学校では、軍事教練の他、語学や数学などの授業も行われる。外国語はフランス語、ドイツ語のいずれかを選択することができた（東京のみロシア語も選択可）。フランス、ドイツ、ロシアと言えば、一八九五年（明治二十八年）、日本に対して三国干渉を行った三カ国と重なる。当時の日本陸軍が見据えていた方向性を色濃く反映していたと言っていいであろう。ドイツ語を選択した季一郎は、日々、勉学に励んだ。後にロシア語に長じた季一郎であったが、外国語との最初の本格的な出会いはドイツ語であった。季一郎は、他の科目と比べても、語学が特に得意であった。

幼年学校では、消灯時間が過ぎると、暗くて部屋では勉強ができないので、トイレに行って裸電球の下で勉強しようとする者が多くいた。

おかげでトイレはいつも「満席」であったという。

中央幼年学校

一九〇五年（明治三十八年）七月、季一郎は大阪陸軍幼年学校を卒業。この期は九名の中退者が出たため、卒業生は四十一名であった。首席は横山勇、次席が季一郎である。

三年間の課程を終えた地方幼年学校の卒業生は、東京の中央幼年学校（後の士官学校予科）へと進む。

同年九月一日、樋口は東京・市ヶ谷の中央幼年学校に晴れて入学した。在学中は地方幼年学校での課程をさらに発展させる形で、主に軍事学、及び一般的な学問を学ぶ。教練は小隊指揮や実弾射撃といった、より実践的なものへと移行した。年限は二年である。

季一郎はいわゆる「士官候補生」だが、彼らは指定された連隊や大隊で下士官兵として隊付勤務を経た後に、陸軍士官学校に入学するというコースを進んでいく。生徒たちは、一年生、二年生を混合した形で三つの中隊にまとめられ、さらにその中隊が六つの区隊に分けられた。季一郎は第三中隊第六区隊に配属された。

この第三中隊第六区隊で、樋口は一人の同期生と親交を結ぶ。一見して周囲と雰囲気を異にするその青年は、名を石原莞爾といった。

仙台陸軍幼年学校を卒業して中央幼年学校に入学した石原は、戦史や哲学の本をよく読んでおり、成績も優秀であった。ガリ勉タイプではなく、天才肌の青年だった。

季一郎と石原は懇意となり、二人は友情を育んでいくことになる。

二人の距離を接近させた一つの磁力が、法華経であった。

石原が実際に田中智学の主宰する国柱会に入会するのは後の一九二〇年（大正九年）のことだが、石原は中央幼年学校在学中から、田中智学の記した法華経に関する本を読み始めたと言われている。石原が法華宗に関心を示したのは、同郷の海軍軍人、佐藤鉄太郎からの感化による。佐藤は後の海軍大学校の校長である。

季一郎はそんな石原の影響を多分に受けた。無数の兵の命を預かることになる将校やその候補生たちの中には、死生観の揺らぎから、宗教に教えを求める者が少なくなかった。

季一郎は石原ら同期生たちと、国の将来についてよく論じ、語り合った。区隊内には上級生からの私的制裁が存在していたが、その分、同期生同士の繋がりは強固なものとなった。この第三中隊第六区隊に関して、戦後に書かれた資料の中には次のような記述がある。

〈区隊長の主義方針のためだったろうか、或は秀才石原の感化だったろうか。此の第六区隊からは莞爾に雁行して、菅原道大、富永信政、飯沼守、樋口季一郎などという此の期の秀才が輩出した。そしてこれ等三十余名は、後々までも親密な同区隊生として結ばれていったのである〉

（『人間石原莞爾』藤本治毅）

若き日々、互いに刺激を及ぼし合うことにより、連鎖反応のようにしてそれぞれの器量が膨らんでいくという光景は、あるべき青春の一風景であろう。

季一郎らは、連れ立って本郷にある南江堂へ行き、ドイツ語のレクラム文庫を買い求め、読み合いをした。時はまだ岩波文庫が創刊される以前の話であり、レクラム文庫は当時のインテリ学生の憧憬であった。いまだ浅春の蕾《つぼみ》の時代である季一郎は、活字の海の中で、青き日々を謳歌した。

その中の友人の一人に、二年後輩にあたる岸田國士がいた。季一郎と岸田の交流は深く、思想的な刺激を互いに与え合った。岸田は後に軍籍を離れてフランスに渡り、作家として大成していくことになるが、岸田がフランス文学に興味を持ち始めたのが、この中央幼年学校在籍中だったと言われている。岸田は文学への思いを全うしたいがために、父親から勘当されながらも軍籍を離脱したのであった。現在との関連性で言うと、岸田國士の次女が、女優の岸田今日子ということになる。

季一郎の手紙

中央幼年学校在籍中に、季一郎が実母・まつにしたためたという直筆の手紙が残っている。書かれたのは一九〇五年（明治三十八年）十二月二十二日で、東京での生活を、飾ることなく記している。この時、季一郎、満十七歳。

〈本日より予科の方は冬休暇ですから可愛いぼつちやん達かばんなどさげて帰省するを見て、やけること只ならず〉

望郷の念を隠すことなく、稚気をも感じさせる文章で、心情を吐露している。文面はその後、日々の生活を綴ることに視点を移していく。

〈中央では勉強しなくても語学の点だけはとれます。点数のために勉強するのではないですが、数学が第一と思ひ暇あれば代数、幾何をやるので人から冷やかされて困るです〉

後に陸軍内で「語学通」としても知られていく季一郎だが、数学にも積極的に取り組んでいた様子がうかがえる。

この手紙の書かれた一九〇五年と言えば、日露戦争の終わった年であり、季一郎の手紙の末尾にも「日露戦争の終わりし年」という一文が添えられている。季一郎が中央幼年学校に入学した直後の九月五日にポーツマス条約が調印され、両国の間で講和が成立したが、賠償金を得られなかったことを不満とする国民の怒りは沸点に達し、日比谷焼き打ち事件などの暴動が起きた。

この手紙が書かれたのは、その三カ月ほど後ということになる。

日本は大国ロシアとの戦争に一応は勝利したものの、その後はロシアの復讐に怯《おび》えることとなった。日本陸軍にとっての仮想敵国は常にロシアであった。

しかし、そもそもロシアに対する脅威というものは、明治維新以前から存在しており、安政六年（一八五九年）には、ロシアの南下に備える形で、庄内藩が幕府から蝦夷地に領地（浜益毛）を拝領し、警備を命じられている。日本の地政学的な運命上、ロシアを仮想敵国とすることは必然であった。

一方、海軍が主な仮想敵国として想定したのはアメリカである。欧米列強の帝国主義がアジアを鋭く見据える中、日本は陸海軍共に、軍事力の早急な増強に追われていた。

季一郎の陸軍人生は、このような状況を背景として進んでいる。

陸軍士官学校

一九〇七年（明治四十年）五月、季一郎は中央幼年学校を卒業。卒業生らは上等兵として任地に配されることになるが、六月、季一郎は東京の第一師団の歩兵第一連隊への配属を命じられた。

中央幼年学校の卒業生は、成績優秀者の上位十二番までは、希望の兵科と任地に配属されることが許される。

歩兵第一連隊と言えば、全軍中で最も歴史のある連隊であり、当然、人気も高かった。卒業時の季一郎の席次は九番である。ちなみに、石原莞爾の席次は十三番であり、これは成績は秀でていたものの、教官からの評判が必ずしも良くなかったことが原因だったとも言われている。この解釈自体に証拠はないが、石原の豪放磊落に見える品行が、たびたび校内で問題となっていたことは事実であった。石原の希望は第一師団だったが受け入れられず、第二師団の山形歩兵第三十二連隊への配属となった。

そんな石原を横目に、歩兵第一連隊への配属となった季一郎であった。当時の同隊の連隊長は宇都宮太郎大佐（後の大将）である。宇都宮は、桂太郎、仙波太郎と共に「陸軍の三太郎」と呼ばれた。戦後に衆議院議員（後に参議院議員）、日中友好協会会長などを務めた宇都宮徳馬は、太郎の長男である。

歩兵第一連隊の歴代の連隊長の中には乃木希典《まれすけ》の名前もある。実際、後に季一郎がこの連隊に原隊復帰した時期に、かつての連隊長というよしみで乃木が講演に来たこともあった。

また同じ中隊には、三年先輩に阿南惟幾《あなみこれちか》がいた。樋口と阿南は、家が近所だったこともあり、交友を深めた。

季一郎が正式に樋口家の養子となり、樋口姓を名乗るようになったのは、この時期である。勇次とその妻「とよ」の間には、子どもがいなかった。そういった状況から、季一郎が養子縁組に入ったのだが、この「とよ」が養母として、その後の季一郎の人生を陰ひなたに支えていくこととなる。奥濱季一郎改め樋口季一郎は、樋口家が美濃大垣藩の武術指南役であったことから、以後、岐阜県士族という家柄となった。

中央幼年学校卒業生は、任地で伍長に昇進した後、陸軍士官学校に入学する。

樋口は同年十二月、石原莞爾らと共に陸軍士官学校に入校した。場所は中央幼年学校の隣り、市ヶ谷台上である。同期には、後のユダヤ人難民救出劇で共に奔走することになる安江仙弘もいた。

陸軍士官学校は英語で言う「Military Academy」に相当し、帝国陸軍において兵科将校を養成する専門機関である。一八六八年（明治元年）に京都に設置された兵学校（後に兵学所と改称）が起源とされ、一八七一年（明治四年）に東京に移転。一八七四年（明治七年）十二月に陸軍士官学校として開校された。

樋口の入学時の校長は、第一期士官生徒（明治八年入校）で歩兵第五旅団長などを歴任した南部辰丙である。士官学校では、戦術を中心とした軍務重視型の教育が行われた。

樋口はこの時期、ドイツ語の習得にさらに取り組んでいる。当時の陸軍内の雰囲気はすでに親独であり、ドイツ型の軍事教育や精神教育が導入されていた。明治の建軍時にはフランス式だったが、普仏戦争（一八七〇―七一年）でのフランスの敗戦を転機として、以降はドイツ式の教育へと改められたのである。当時、陸軍幼年学校から陸軍士官学校へと進んだ者は、ドイツ語、フランス語、中国語、ロシア語から語学を選んだ。

その一方、一般中学を修了した後に陸軍士官学校へ入学する者もあり、彼らは英語を学んだ。士官学校の内部において、エリートグループである幼年学校卒業者と一般中学卒のグループが対立することもしばしばであった。

樋口の卒業は一九〇九年（明治四十二年）、第二十一期である。「陸軍士官学校第二十一期生徒卒業人名」という記録を見ると、樋口の成績は、歩兵三百三十五名中の十七番目。一位は飯村穣であり、石原莞爾は七番目となっている。

陸軍士官学校を卒業した職業軍人は、見習い士官として原隊に復帰する。樋口は卒業後、歩兵第一連隊第二大隊で、陸軍将校の道を本格的に歩み始めた。陸軍のエリートコースを順調に歩んだと言っていい。半年間の見習い期間が終了すると、少尉に任官される。

この少尉時代の樋口に関する、一つの逸話がある。

代々木の練兵場で行われていた訓練の際、猛暑がひどい時などには、樋口は兵員を木陰の低地で時々、小休止させた。そのため樋口の部隊からは一人も日射病にかかる者が出ることもなく、他の隊の兵から随分と羨ましがられたという。

このエピソードは、樋口の従卒であった元兵士の一人が戦後に語ったものだが、樋口の長女である美智子が戦後に書いた私家版の回想録『花の下なるそぞろ歩きを』（非売品）によると、その話題を聞いた樋口は、次のように応じたという。

〈父は横で彼の話を聞きながらファッ、ファッ、ファッと笑って「その時は僕が疲れて居たからね、皆も疲れただろうと思ってさ」〉

ドイツ語の習得

この少尉時代、樋口の軍務以外の生活は、どのようなものだったのだろうか。

当時の樋口の住居は、麻布界隈の下宿である。周囲の一高生や東大生らとも交友を結び、時には論戦を交えたこともあったという。

また、休暇を利用して、日本アルプス踏破に挑戦したこともあった。陸軍将校にとって、士官学校を卒業し、原隊復帰した頃というのは比較的、時間に余裕のある時期だと言える。士官学校時代のように、時間割に縛られることもなく、演習の後には平日でも外出することができた。彼らの多くは、余った時間を自らの勉強や読書、趣味に費やした。

そんな日々の中で、樋口が最も力を傾注したのがドイツ語の習得だった。当時の陸軍省は、青年将校の外国語学習を強く奨励しており、語学試験の成績最優秀者は一年間、外国に留学できるという制度があった。留学先はその語学によって異なり、ロシア語の場合はサンクトペテルブルグ、ドイツ語の場合は当時、ドイツが極東支配の拠点としていた中国山東省の青島といった具合である。ドイツは一八九八年から膠州湾を租借地としており、青島はドイツのモデル植民地として整備されていた。ちなみに、今も有名な「青島ビール」は、ドイツ植民地時代の名残と言える。

樋口は青島行きを夢見てドイツ語の学習に没頭し、時には同じくドイツ語の勉強に励んでいる友人たちを麻布の自宅に集め、勉強会を行った。

そのメンバーの中には、大阪陸軍地方幼年学校時代からの仲である横山勇もいた。横山は後に第十一軍司令官として中国戦線などに赴くが、終戦時には第十六方面軍司令官兼西部軍管区司令官として九州方面の最高指揮官の任にあった。ところが戦後、九州帝国大学で行われたとされる生体解剖実験の責任を問われ逮捕。禁固刑となり、一九五二年（昭和二十七年）に巣鴨収容所で病死するという運命を辿る。が、当時の樋口も、もちろん横山自身も、そんな将来を知る由もなく、青島留学を夢見てドイツ語の習得に励む毎日であった。

結局、樋口は一次試験には合格したものの、二次試験は次席で、首席の軍医大尉に留学の夢はさらわれた。樋口の目標はその後、陸軍大学校受験へと切り替えられていくことになる。

陸軍大学校受験

一九一四年（大正三年）春、樋口は丸田静子と結婚している。樋口の養父である勇次と、静子の実父・丸田吉廣が、小倉第十二師団経理部の同僚であったのが縁であった。この時、樋口は数えで二十七歳、静子が二十歳である。静子は府立第三高等女学校（現・東京都立駒場高等学校）を出た才女であった。

この年、ヨーロッパでは第一次世界大戦が勃発。イギリスと同盟関係にあった日本は、ドイツに宣戦布告した。日本はドイツ支配下にあった青島を攻撃。膠州湾のドイツ要塞を陥落させて、当地の占領に成功した。

その翌年、まだ第一次世界大戦中の一九一五年（大正四年）に、樋口は陸軍大学校を受験した。陸軍大学校は、大学とは名付けられているが一般公募はなく、軍人のみが入学資格を得られる幹部養成機関である。陸軍大学校の入学試験を受けるには、自分が属する原隊の連隊長の推薦を必要とした。

一八八三年（明治十六年）、参謀幕僚の養成を目的として設立された陸軍大学校は、ドイツをモデルとし、日露戦争後は高級幹部養成機関として、その存在感を増していた。定員は毎年、五十人前後という狭き門であり、卒業生は軍中央の核として活躍することが期待された。まさに、陸軍の将来を担うことを嘱望された存在である。

逆に、陸軍大学校を卒業していなければ、省部（陸軍省・参謀本部・教育総監部）の枢要に入って活躍する道は無きに等しかった。また、陸軍においては、陸軍士官学校での成績よりも、陸軍大学校での成績の善し悪しが、その後の昇進を左右した。ちなみに、この陸軍大学校の第一期生の成績第一位だったのが、東條英機の父親である東條英教である。

試験は初審と再審の二回にわたって行われた。初審では語学や数学、歴史といった一般教養科目や、典範令や操典などの知識が問われる。この初審の倍率は十倍近く、ここで一気に入学定員の二〜三倍程度にまで絞り込まれる。

続く再審は、陸軍大学校で九日間にわたって行なわれ、初級戦術、陣中要務、応用戦術から外国語、数学といった科目について、五名程の試験官を前にしての口頭試問が行われる。

以下は余談だが、後の大正十年代から昭和初期まで、東條英機や小畑敏四郎《としろう》といった非長州系の軍人たちは、自らが陸大教官の地位にいた際、それまで陸軍内で一大勢力を誇っていた長州閥を排除するために、十年以上にわたって山口県出身者を陸軍大学校に入校させなかった。

東條は盛岡藩に仕えた家系であり、小畑は高知県出身である。特に東條は、父親の英教が先に紹介したように陸大で一位の成績を残していたにもかかわらず、長州閥の首魁である山県有朋に人事面で冷遇されたことを、私憤にも似た感情として持ち続けていたと言われている。

話を樋口の人生に戻そう。

樋口が陸大試験の初審を終え、合否の発表を待っていた五月半ば、養父・勇次が不意の病に倒れた。病名は当時、流行していたチフスであった。治療と看病の甲斐なく、勇次は同月二十二日にこの世を去った。

陸大受験は、「陸大に落ちた者が東大へ行く」とまで言われた難関であったが、樋口は初審を見事に通過した。続く再審は十一月に行われ、戦術や操典に関する難問が繰り返されたが、樋口はこれも突破した。自分に軍人への道を拓いてくれた養父の死をバネにしたと言えるかもしれない。

陸軍大学校入学

樋口は晴れて陸軍大学校への入学を果たすことができた。同期には、すでに受験に三回失敗していた阿南惟幾がいた。一発合格の樋口は先輩であった阿南に学年で追いついた形となったが、阿南の例に漏れず、陸大受験は再受験組が半分を占めるほどであった。阿南はそれまで受験に失敗するたび、樋口の家を訪れ、

「今回もまた受験失敗致しました」

と樋口の養母・とよに挨拶を繰り返していた。そんなこともあって、とよは阿南の合格を切に祈っていたという。そんな阿南が、息子と揃って合格を果たし、とよが大喜びをしたという話が、樋口家には残っている。

阿南はその生涯を通じて誠実で人望が厚かったことで知られるが、終戦時は陸軍大臣であり、一九四五年（昭和二十年）八月十五日未明、ポツダム宣言の最終的な受諾返電の直前に陸相官邸で自刃。介錯を拒み、早朝に絶命したと言われている。

そんな阿南の他、同期生の中には陸軍士官学校と同様、石原莞爾の姿もあった。石原との再びの邂逅である。

陸大の年限は三年である。授業は参謀要務、現地戦術、戦史、馬術などに及び、単なる知識の詰め込みではなく、将校として求められる応用力や決断力を養成することに主眼が置かれていた。樋口は主要研究科目であるこれら軍事学の他、ロシア語を重点的に学び、ロシアの専門家としての将来を嘱望される存在へと自らを研鑽した。陸軍にとって、仮想敵国の第一であるロシアの専門家を育成することは、喫緊の課題であった。

私生活では一九一六年（大正五年）に、第一子で長男の季隆が誕生。翌一九一七年（大正六年）には第二子で長女の美智子が生まれている。

同年十一月には、ロシアでレーニンによる社会主義革命が勃発。列強は新たに生まれた「ソ連」の動向に対し、緊張感を強めざるをえなかったが、それは日本も同様であった。従来の仮想敵国としての存在に加え、社会主義革命の日本国内への侵入という新たな脅威が出現した。

日本は翌一九一八年（大正七年）に中国と日中共同防衛協定を締結。さらに同年、連合国のシベリア出兵に参加した。これは、ボリシェヴィキ政権が単独でドイツ帝国と講和条約（ブレスト・リトフスク条約）を結んで第一次世界大戦から離脱したため、ドイツが東部戦線の兵力を西部戦線に集中することが可能となり、フランスやイギリスがにわかに苦戦に陥ったことに起因するものであった。連合国はドイツの目を再び東部に向けさせ、同時にロシアの革命政権を打倒することをも企図し、ロシア極東のウラジオストックに「チェコ軍捕囚の救出」を名目に出兵した。日本もこれに呼応する形で同年八月に軍を派遣。巨額の戦費が投入された。日本は最終的に七万人を超える兵士を送っている。

日本軍はウラジオストックの連合軍資材基地を防衛すると共に、白系ロシア勢力への支援を行い、ボリシェヴィキの赤軍と激しく戦った。

その後、同年十一月にドイツ帝国で革命が起こり、停戦が決まると、シベリア介入の目的を失った連合軍は、続けざまに兵を引き揚げることとなった。

参謀本部付大尉時代

陸軍大学校での二年次の夏休みが終わった頃、樋口は不意に体調を崩した。いわゆる「夜盲症」「鳥目」の類いであったが、これはビタミンの欠乏から来るものであり、樋口は合併症として脚気《かつけ》も併発してしまう。

病気の根本原因は、金欠病であった。当時、軍の内外で「貧乏少尉に、やりくり中尉、やっとこ大尉」といった言葉が流行していたが、樋口の生活もその例に漏れなかった。陸軍のエリートコースを歩んだ樋口だったが、元々の幼少時代から考えても、その前半生は決して恵まれていたわけではない。

樋口は頭を抱えた。科目の予習や復習をしなければならないのに、夜間の勉強が不自由になってしまったのである。

この樋口の体調悪化を受けて、樋口家ではその後、米に麦を混ぜたご飯を食するようになった。樋口の長男である季隆は戦後、雑誌への寄稿文の中で、こう記している。

〈わが家は長い間、脚気予防剤を兼ねて米麦混合食をしばらく常用することになった。そのため筆者など、後年長ずるにおよんで、白米に戻ったときのうまかったこと、今も忘れ得ぬ思い出である〉

（『丸』平成五年八月別冊）

その後、樋口の症状は徐々に回復し、卒業に支障が出ることはなかった。

一九一八年（大正七年）十一月、樋口は陸軍大学校を無事に卒業（第三十期）。昭和十二年版

の陸軍大学校の名簿を見ると、「歩兵中尉　石原莞爾」のすぐ隣に「歩兵中尉　樋口季一郎」の名前が並んでいる。

首席は後の陸軍中将、鈴木率道《よりみち》であった。鈴木は陸軍航空隊の発展に尽力したが、東條英機に疎まれて要職から外され、不遇の内に没することになる。

陸大の卒業生には、菊花と星をかたどった卒業生徽章が授与された。この徽章が江戸・天保期の百文銭に似ていることから、卒業生は「天保銭組」と呼ばれ、その一方、陸大卒業生ではない将校は「無天」と呼ばれた。この「天保銭組」と「無天」は、陸軍内で無用の対立を生むことが少なくなく、それが表面化して問題視されるようになったため、後の一九三六年（昭和十一年）には、陸大卒業徽章の軍服への着用が禁止されることになる。

「天保銭組」となった樋口は、陸大卒業後の一九一九年（大正八年）、晴れて大尉に昇進し、参謀本部付となった。この時、樋口は三十二歳。陸軍の中でも、かなり早い出世と言える。参謀本部では、第四課（欧米課）の第二部ロシア班に属した。班長は橋本虎之助少佐である。

任務は多忙であったが、そんな中、樋口は自らのロシア語が不十分であることを感じ、東京外国語学校の夜間部へと入った。そこで改めてロシア語の研鑽に努めることになる。

この外国語学校夜間部で出会ったのが、後の終戦時の関東軍総参謀長である秦彦三郎である。

秦は一八九〇年（明治二十三年）、三重県に生まれた。一九一二年（明治四十五年）に陸軍士官学校を卒業（二十四期）しているから、樋口の三期後輩ということになる。

樋口と秦は、陸軍内で共にロシア通として将来を嘱望されていくことになり、この頃から互いに意気の通じた仲となった。秦は樋口のことを親しみを込めて「兄貴」と呼んだが、二人の人生はこの後、随所で因縁の如く交錯し、時には痛烈なる激情と悲劇をも齎《もたら》しながら、流れていくことになる。

樋口が参謀本部に身を置きながらロシア語を学んでいる間も、シベリアの日本軍は駐留を続けており、当初の「ウラジオストックより先に進軍しない」という規約を逸脱した形で、地域的な介入を続けていた。

しかし、一九一九年（大正八年）一月頃から日本軍は劣勢に転じ、同年秋には、連合国側が支援していた反革命のコルチャック政権が、赤軍との戦闘において敗北した。

樋口はそんな日露関係に目を見張りながら、ロシア語の勉強を続けた。

同年六月には、第一次世界大戦の講和条約であるヴェルサイユ条約が調印されたが、日本はドイツが中国に持っていた権益や、赤道以北の植民地だった島々を受け継ぐことになった。しかし、極東ロシアでは、社会主義勢力の拡大という不安定な状勢が続いていたのである。

そして樋口はいよいよ、自らその凍土に立つことになる。

ウラジオストック派遣軍司令部付

一九一九年（大正八年）八月、樋口の盟友である石原莞爾が再婚した。石原は二年前の一九一七年（大正六年）七月に清水泰子と最初の結婚をするも、二カ月後の九月に離婚。そして二度目の結婚を、国府銻子と果たしたのである。泰子との離婚時には、陸軍内でも問題視された経緯があったため、再婚時、石原の両親は山形から上京することができなかった。困った石原は樋口を訪ね、樋口夫妻に親代わりになってもらうよう談判したという。

樋口の長男である季隆は現在、すでに鬼籍に入っているが、彼は生前、父親の人生を八百枚にも及ぶ手書き原稿にまとめていた（未出版）。今回、その貴重な原稿を、季隆の息子であり、季一郎からは孫にあたる隆一氏からお借りすることができた。その原稿は、樋口の遍歴を理解するのに大いに役立ったが、その中に石原の再婚時の様子を記した部分がある。

〈「よおし、これからは俺が親代りだから頭があがらないが、いいな。」といったら、石原は「ニヤッ」と笑ったという〉

季隆が実父・季一郎から聞いたという逸話である。実際、その後の両家は、家族ぐるみの付き合いを長く続けた。

同年十二月、樋口はウラジオストック派遣軍司令部付の辞令を受ける。

翌一九二〇年（大正九年）一月、樋口は敦賀港から『鳳山丸』に乗船し、ウラジオストックへと向かった。樋口にとって、初めてとなる海外赴任である。樋口は家族と離れ、単身での赴任となった。残された家族は、妻・静子の実家である宮崎県の都城へと移った。

ロシア語で「東方を支配せよ」という意味を持つウラジオストックは、その名の通り、ロシアの東方進攻のための軍事拠点として発展した。

樋口を迎えたこの街では、前述の通り、シベリア出兵に端を発する日本軍の駐屯が続いている。共に出兵した米軍はすでに撤収していたが、日本軍は居留民保護を目的に計四個師団の駐屯を継続していた。

樋口の肩書きは「ウラジオストック特務機関員」である。

樋口は言わば「情報将校」となったわけだが、こういった配属は決して珍しいことではなかった。例えば、石原莞爾や板垣征四郎も、諜報活動に関わった日々を経験した後、軍での階級を上げている。石原の場合、特務機関への所属経験はないが、漢口派遣軍時代に情報収集任務に就いた。

日本陸軍における特務機関の歴史は、日露戦争時の明石元二郎大佐による「明石機関」の活動にまで遡る。日露戦争中、スウェーデン駐在武官の明石が設置した「明石機関」は、ヨーロッパにおける対露情報操作や、ロシア国内の反体制派への支援といった活動を行った。明石機関の活動は、日露戦争の勝因の一つに挙げることができる。

その後のシベリア出兵以降、陸軍では特殊任務にあたる実働グループを「特務機関」と呼称するようになった。樋口の赴任したウラジオストック特務機関は、その嚆矢である。この「特務機関」という名称は、英語の「ミリタリー・ミッション」、ロシア語の「ウォエンナヤ・ミンシャ」などから意訳したものだが、樋口はこの名前が嫌いで、

「『軍事委員』でいいのに」

とよくこぼしていたという。「特務機関」という名称の発案者は、シベリア派遣軍司令部の高柳保太郎少将であったと伝えられる。

以下は余談である。「情報機関」と聞くと、戦後民主主義的な価値観で育った我々日本人の中には、嫌悪感や拒否反応を示す方もいるかもしれない。しかし、現在においても、確固たる情報機関を持たない先進国など日本くらいのものであり、アメリカのＣＩＡやイギリスのＭＩ５といった例を出すまでもなく、「普通の国」というのは、それぞれ形態や組織構造は異なるとしても、何らかの「情報機関」を保有しているのが通常である。ウラジミール・プーチンが諜報機関（ＫＧＢ）出身であることは、よく知られている通りだ。

情報機関なき外交は、軍事的背景が重要な意味をなす国際外交の場において、初めから諸手を縛られているのと同意であり、例えば、北朝鮮による拉致問題に関しても、国として必須であるはずの諜報活動が十分とは言えない状況が、事件解決への大きな障害となっている側面を否定できない。

ウラジオストック特務機関は、一九一八年（大正七年）二月、参謀本部の坂部十寸穂《としお》中佐が、出張の形式でこの地に駐在したのがその始まりである。以降、シベリアにおける日本軍顧問団の中心的な存在となり、革命政権に反対の態度をとるロザノフ政権を管理、教育することを主目的として発展した（ロザノフ政権は後に崩壊）。樋口の赴任時の特務機関長は、井染禄朗大佐（後の中将）である。

ロシア革命直後のこの地では、共産主義勢力の勢いが激しく、ウラジオストック特務機関もこの点に頭を悩ませていた。特に強硬的な一部の過激派の動きには、多大な注意が必要であった。日本としては、極東のこれ以上の赤化を防ぎたいという切なる意識が強かった。

そんな中で、ウラジオストック特務機関が具体的に起こした行動の一つが、ロシア語の新聞を新たに発行するという作業であった。その紙面において共産主義の欠点と不道徳性を説き、地域住民の動揺を落ち着けようというのである。

この新聞の主筆の座に就いたのが樋口であった。新聞名は『ウラジオ・ニッポウ』と名付けられた。いわゆる「情報戦」の最前線に、樋口は身を置くことになったのである。樋口の「情報将校」としての経歴は、ここから本格的に始まる。

ちなみに、ウラジオストック滞在時代、樋口はユダヤ人の私邸に身を寄せていた。このことが、後のユダヤ人救出劇に際して、どれほどの意味を持ったのか、容易な類推は危険であろう。ただ、救出事件以前より、樋口がユダヤ人たちと一定の接点を有していたという事実は、一文に付しておく価値はある。後のユダヤ人救出劇に繋がっていく一粒の種子が、この時すでに胚胎していた可能性は十分にある。

樋口自身は、戦後に「ユダヤ人に興味を抱いたのは大尉時代」という旨を述べている。このウラジオストック時代の樋口の階級は「大尉」である。

ハバロフスク時代

そんなウラジオストックでの軍務であったが、結局、この地に滞在したのは半年間ほどであった。樋口はほどなく、ウラジオストックからハバロフスクへ転勤となる。ウラジオストック派遣軍司令部付の身分はそのままに、ハバロフスクに駐屯していた宇都宮第十四師団司令部情報参謀という新たな任務に就いた。

樋口はウラジオストック時代、多くのロシア人たちと親交を結び、友情関係を築いていた。もちろん、特務機関の人間として情報収集を目的として接近した例も少なくないが、軍務以外での人間的な交流も確かにあった。この辺りが樋口の個性の一つの表れであろう。

樋口自身、国家としてのソ連の脅威、不誠実さに対しては人一倍、厳しい目を向けていた。しかし同時に、個人個人のロシア人たちは、愛すべき人々であるとも考えていた。樋口はロシア人のことを「ドーブルイ・チェロウェーク（善人）」と肯定的に評した。同時にロシア人の「嗜虐性」についても重要視するなど、あくまでも冷静なロシア観を大事にしていた辺りに、樋口らしさを垣間みることができる。樋口の孫にあたる隆一氏は言う。

「祖父が時々、ロシア人のことを話していたことを覚えています。『彼らは一人ひとりは良いのだが、国家となるとあんなに危険な国はない』と」

樋口の率直なるロシア観であろう。

後の一九四五年（昭和二十年）八月、樋口率いる第五方面軍は、千島列島においてソ連軍と熾烈な激戦を交わし、その戦果によって、ソ連軍のそれ以上の進攻を防ぐこととなるのだが、特務機関時代の樋口は、そんな自らの人生の流転をまだ知らない。否、半ば予期していたであろうか。

樋口はロシア人からも好かれ、周囲からの人望も厚かった。例えばそれは、ウラジオストックからハバロフスクに発つ際に、多くのロシア人が樋口との別れを惜しむために駅頭に集まったという逸話からも察せられる。こういった見送りの場合、当地の軍関係者や日系組織の要人が顔を出すことが慣例であったが、樋口の場合は、現地の一般住民が多く集まったのがその特徴と言えた。

その後に始まったハバロフスクでの生活であったが、この時期、樋口は任務の合間にピアノのレッスンを受けている。その練習時の風景を、樋口本人が戦後に残した文章の中で、ユーモラスに記している。特務機関という組織の肩書きからは感じることのできない雰囲気が伝わり、樋口の人柄を偲ばせる文章と言えるので、少し長いが引用したい。

〈次の練習は右手で上段のノート、左手で下段のノートを弾くことであった。これは極めて簡単なものである筈である。ところが私には頭と手との関連がうまく行かぬのである。(略) 私は右の眼で上段を、左の眼で下段を読もうかと考えたのである。これはよい考え方だと独り悦に入っていたのであるが、そうするためには私は頭を左方に傾ける必要があった。ニーナ先生曰く、「何故そんな姿勢をするのか。真直な姿勢で弾かねばみっともない」と言う。重々お言葉の通りである。だが私の心中はさように簡単なものではなく、姿勢などということを問題にするには余りに余裕がなかったのであった。私は私の苦衷を述べた。彼女は女らしくもなく呵々大笑、涙まで出したのであった〉 (『回想録』)

先の『回想録』とは、戦後の一九七一年(昭和四十六年)に樋口が著した『アッツキスカ軍司令官の回想録』の新版として一九九九年(平成十一年)に出版され直したものであり、樋口自身の記憶を現代に伝える貴重な記録の一つである。この『回想録』で樋口は自身の人生遍歴を率直に書き記しているが、その話題は自らの生涯の軌跡に留まらず、ジャン＝ジャック・ルソーの『民約論(社会契約論)』から、ロシア文学論、言語文化の国際的比較論にまで及び、戦前の陸軍大学校出のインテリの薫りが、文面の至る所に満ちた内容となっている。

ちなみに、苦戦したピアノへの挑戦は、その後に挫折したという。

特務機関長に就任

一九二〇年（大正九年）一月、アメリカのウッドロウ・ウィルソン大統領の提唱により国際連盟が正式に発足。日本もこれに加わり、常任理事国となった。発足当初の常任理事国はイギリス、フランス、イタリアと大日本帝国の四カ国である。

国際社会は、第一次世界大戦後の軍縮ムードが主流となっていた。日本は主戦者とはならなかった第一次世界大戦だが、飛行機や戦車といった新たな兵器が次々と投入された結果、四年余の間に実に二千万人近く（非戦闘員も含む）もの犠牲者が出るという、未曾有の惨劇となっていたのである。そうした後に生まれた「和平ムード」であった。

しかし、それはあくまでも表向きの軍備の縮小という話であり、実際には各国の情報戦は闇に隠れるようにして熾烈に続けられていた。

日露関係も甚だ不安定で、同年三〜五月には尼港事件が勃発している。尼港事件とは、ロシア人や中国人、朝鮮人ら、合計約四千人から成る露中共産パルチザンが、ニコライエフスク港（尼港）の日本陸軍守備隊（第十四師団歩兵第二連隊第三大隊）を攻撃した事件で、同時に日本人居留民に対する無差別虐殺も発生した。この事件による日本人犠牲者の数は七百名を超え、その半数は民間人であった。この事件を契機に、日本国内で反共の機運が高まっていくことになる。

同年十月、樋口はハバロフスク特務機関の機関長に就任。それまでハバロフスクに駐屯していた第十四師団が内地に撤退を開始した影響により、当地の情勢が不安定になっていた時期であった。結局、日本軍の撤退後、ロシア共産軍がハバロフスクに難なく帰還を果たしている。その後はロシア内の共産勢力と非共産勢力との間で、ハバロフスクの奪取戦などが散発的に起きた。

革命後に敷かれた戦時共産主義経済の中で、ロシア人住民たちは、貧しい生活を送っていた。樋口はそういったロシア社会の動揺を、最前線でつぶさに確認している。

このハバロフスク駐留中も、樋口はさらなるロシア語の研鑽に努め、徳富蘇峰の『世界大戦後の世界及日本』を自らロシア語に翻訳し、『浦潮日報』（『ウラジオ・ニッポウ』より改名）に寄せたりした。血なまぐさい革命後の混乱の渦中にあるハバロフスクで、樋口は地道なプロパガンダ活動に黙々と取り組んだ。

ハバロフスク特務機関での仕事は約一年半に及んだ。しかし、共産勢力と反共勢力との戦いは慢性化し、当地の治安は一向に安定しなかった。

特務機関での任務が終了したのは、一九二二年（大正十一年）二月以降、反共産党軍の劣勢が明らかとなり、特務機関自体の撤退が決まったためである。

同年四月二十二日付『大阪毎日新聞』（夕刊）の一面には、「我特務機関に引揚命令」という見出しで、次のような記事が掲載されている。

〈情報に依れば浦鹽派遣軍司令部は最近ハバロフスク及びブラゴエシチエンスク駐在の我特務機関に対し至急同地を引揚げるやう召還電報を発したといふ〉

樋口の妻・静子と子どもたちは、静子の実家である宮崎県都城にいたが、このような新聞報道に連日、注視せざるをえなかったという。四日後の四月二十六日付の同紙には、「四月七日に起きた事件」として、以下のような記事が掲載され、家族を驚かせた。

〈四月七日ハバロフスク職業同盟主催の下に排日運動行はれ参加者は軍隊を加へて萬餘併《しか》し群衆は強制参加したもので何れも気勢揚らず一猶太人が『日本特務機関たる樋口少佐の宅を襲つて國旗を下さしむべし』と叫ぶや数千の群衆我特務機関に殺到し『何故赤軍の通過を許さぬか、何故赤軍の使節を虐待したか』と叫び日章旗を下すべく要求したが樋口少佐は断乎としてこれを拒絶したので主謀者たる無頼漢数十名は暴力を以て我が構内に侵入せんとした、併し軍隊の警戒頗《すこぶ》る厳重であつたゝめ事なきを得群衆は一時間後に解散してしまつた〉

この新聞の報に接した時、静子が「いよいよ未亡人になるのかと覚悟を決めた」と戦後に回想していたことを、長男の季隆は記憶している。このような激しい排日運動が起きる中での引き揚げ命令であった。

四月二十七日、ハバロフスク特務機関は同地から撤収し、ハルビンの地に移動した。

関東大震災

シベリア駐在中、不安定な情勢の中で任務をこなした樋口だったが、ハバロフスク特務機関のハルビン移転に合わせ、新たに参謀本部部員への転任命令を受けた。

樋口は無事に日本への帰国を果たし、東京に戻った。宮崎にいた家族も東京に呼び寄せ、樋口家は世田谷の三宿に家を借り、新たな生活を始めることとなった。単身赴任が続いていた樋口にとって、念願だった家族との再会であった。

三宿での生活は長くなく、その後は同じく世田谷の池尻に転居した。その家には広い庭があり、片隅には大きな鶏小屋があったが、そこで三十羽ほどの鶏を飼った。

樋口の長男である季隆は、この時期に父親と共に鶯谷近くの「国柱会小劇場」で観劇を楽しんだことを記憶している。

当時、鶯谷にある国柱会館を拠点として、勢力を拡大していた国柱会とは、元・日蓮宗僧侶である田中智学が還俗《げんぞく》して一八八四年（明治十七年）に設立した法華系の新宗教団体である。

極東ロシアから帰国した樋口は、一九二〇年（大正九年）にすでに入会していた石原莞爾の影響もあり、この国柱会に近づいた。

この時期、日本は農業国から工業国へと脱皮し、高度な消費社会、大衆化社会の時代を迎えていたが、そんな社会的推移の中で、法華信仰はにわかに支持を獲得していた。国柱会は自作劇の公演や舞踏活動にも力を入れており、季隆の記憶は、そんな社会状勢の中にあると言える。

やや余談めくが、田中智学がこの時期の前後に使用し始めたのが「八紘一宇」という言葉である。これは元々「日本書紀」に出てくる言葉で、「八紘」は「四方と四隅」、「一宇」は「一つの家」を意味する。神武天皇が大和橿原《かしはら》の地に都を定めた詔の中に出てくるのがその出典だが、田中はこれを「日蓮の教えによって世界を霊的に統一しなければならない」といった宗教的な意味合いで使い始めた。その後、この言葉を政府がスローガンとして採用（昭和十五年、近衛内閣による「基本国策要綱」の制定）するに至り、一気に世間に知れ渡るが、大正期の田中はそのような将来までは予期していない。

国柱会はその後、政治運動にまで乗り出していくが、樋口はその頃には距離を置くようになった。

この東京時代は、樋口にとって比較的、緊張感の解けた束の間の平穏な日々だったが、そんな中で迎えた一九二三年（大正十二年）九月一日には関東大震災に遭っている。その日は、樋口の実母・まつがちょうど淡路島から上京し、樋口家に滞在している最中であった。当の樋口は北海道に出ていて不在だったが、地震の報《しら》せを受けてすぐに軍の艦船で戻った。幸い、一家は無事であった。

震災後、人心の安定には時間がかかったが、東京に戻った樋口は、長男の季隆を連れて、毎晩、近所の夜回りに出た。季隆はこの時のことを、自らが書き残した未発表原稿の中でこう記している。

〈「火の用心、さっしゃりやしょう。」と、歌舞伎もどき、の口上よろしく親子仲良く町内を拍子木を打ち鳴らして廻ったことを覚えている。今でもこの時の「火の用心」は楽しい思い出として脳裡に残っているのである〉

「火の用心、さっしゃりやしょう」とは最近ではあまり聞かなくなったが、落語の「二番煎じ」などにも出てくる、古い言い回しの一つである。

家庭の中での樋口

震災の直接の被害が家族に及ばなかったことに一先ず安堵した樋口であったが、彼は家庭の中ではどのような夫、父親だったのであろうか。樋口の長女である美智子は、この頃の記憶として、私家版の冊子の中で次のような場面を書き残している。

〈私が母に口答えして、「馬鹿」と言った事がある。父は「親に向って馬鹿などと言うものではない」と叱り、「自分が良い子か悪い子かよく考えなさい」と蒲団部屋に入れられた。（略）後年、その折の話を父にしたら、愉快そうに笑って、「人間というものは、誰にも相手にされない事が一番辛いものだよ。腹立ちまぎれに叩いたりしても、下手をすれば反抗心を抱くからね。子供に反省の機会を与える為に、一人ぼっちにさせるのが、お仕置きには利き目があるのさ」〉

（『花の下なるそぞろ歩きを』玉村美智子）

樋口は美智子のことを「みこちゃん」「ミコチ」などと呼んでかわいがった。美智子は前掲書の中で父のことを「父は優しく懐かしく、時にユーモアたっぷりであった」とも書いている。樋口自身は前述の通り、幼い頃に両親が離婚し、母子家庭となった後に養子となった境遇である。その反動ということもあったのであろう、樋口が子どもたちに注ぐ愛情は、常に温かく、濃《こま》やかなものであった。

一方、家庭内での子どもへの躾《しつけ》は、主に樋口の養母・とよが行った。とよは大垣藩士の武家の出自である。礼儀作法に関しては厳しく教えた。

樋口は、口うるさく子どもたちに行儀作法を説くようなことはしなかったが、自らの態度はいつも人一倍、折り目正しかった。外から自宅に帰った時は、とよに対して手を突いて頭《こうべ》を垂

れ、

「ただいま戻りました」

と挨拶していたという。また、樋口の日課は、起床するとまず太陽を拝み、神棚に手を合わせることであった。

朝鮮時代

この時期、日本は第一次世界大戦後のワシントン体制の中にある。幣原《しではら》喜重郎外相が主導した対英米協調路線が表向きの主流をなし、それと同時に、そんな潮流に不満を持つ勢力が、軍内部で静かに力を蓄えた時代であった。

一九二三年（大正十二年）十二月、樋口は朝鮮軍参謀となった。次なる任地は、併合後まだ不安定な情勢の続く朝鮮半島である。元関東軍情報部参謀の西原征夫が著した『全記録ハルビン特務機関』によれば、次のような背景があったようである。


〈シベリア撤兵後（撤兵は大正十一年）、ウスリー南部地区に対する対ソ諜報実施は、朝鮮軍をして実施せしめるのが適当と認められた。その頃より同軍の情報参謀には、ロシア関係者が充てられることとなって、樋口季一郎、松井太久郎、坂田義朗等の諸官がその任に当り、且つ北方特務機関が設置されることとなった〉

（『全記録ハルビン特務機関』西原征夫）

樋口の在任期間は約一年の予定で、今度は家族を連れての赴任となった。家族を大切にした樋口にとっては、ありがたかったであろう。朝鮮へ渡って間もない一九二四年（大正十三年）二月十一日の紀元節には、次女となる節子が生まれた。

朝鮮では、当時、「不逞鮮人」などと呼ばれた独立派の動向を調査することが主な任務の一つであった。樋口が赴任した直後の大正十三年という年は、干支《えと》で言えば甲子《きのえね》の年であったが、朝鮮には昔から「甲子革令」という言葉があり、大きな異変が起こる動乱の年とされた。このような背景もあり、総督府も軍司令部も、朝鮮独立派の動きに関して、強い警戒心を抱いていた。当時の総督は、海軍大将の斎藤実《まこと》（後の首相）である。

また樋口は、情勢の把握のため、満州にまで脚を伸ばすこともあった。

在任中、張作霖を訪ねたこともある。鮮満国境地帯の治安の向上を要請するため、軍参謀長・赤井春海《はるみ》少将に随行する形で、満州の張作霖の居城を訪れたのであった。

この当時、張作霖の顧問には本庄繁少将が就いていた。本庄は丹波篠山の出身で、樋口にとっては鳳鳴義塾の先輩にあたる。

樋口らは、まず本庄の公館を訪れた。その時、本庄は中国の伝統的な衣装を着ており、中国の村人そっくりの容貌であったと樋口は後に回顧している。

その後に訪問した張作霖の邸宅では、日本側からの申し入れが行われた後、一時の酒宴が催された。

樋口自身は酒豪というほどではなかったものの、お酒は普通にたしなんだ。日本酒や焼酎の他、ロシア時代よりウォッカを適量、楽しんだようである。ちなみに、樋口は幼少時から人形浄瑠璃を好んだが、酔うと「太閤記」「三勝半七《さんかつはんしち》」などのさわりを口にすることもあったという。

朝鮮時代の樋口の様子と、彼の性格の一端を示す話がある。龍山（現在のソウル特別市内）にあった樋口の官舎には広い庭があったが、植えられているのは松や杉ばかりで、実のなる木がなかった。そこである日、樋口は梅や栗の苗木を合わせて十本ほど植えた。そんな樋口に家族が言う。

「一年しか居ないのに苗木を植えるなんて」

すると樋口は嬉しそうに、こう返したという。

「十年後にこの家に入る人が喜ぶぞ」

そんな会話がなされてから、今ではもう八十年以上もの月日が流れている。

樋口一家が暮らした龍山地域は元々、日露戦争の際に日本軍が兵営を置いたのが始まりで、その後は日本陸軍の駐屯地として使用された。

日本の敗戦後は、米軍第七師団がこれを引き継いだが、一九四九年に一時撤収。しかし、朝鮮戦争休戦後の一九五三年から再び米軍が駐留し、在韓米軍基地として利用された。これまでに移転問題が繰り返し議論されてきたが、現在も米軍の駐留が続いている。

第三章　ポーランド駐在〜相沢事件

ポーランド公使館付武官

樋口は一九二五年（大正十四年）、ポーランド駐在武官としてワルシャワに赴任することになった。極東ロシア、朝鮮の次はヨーロッパ大陸である。戦前の陸軍将校は外交官と同様、見聞や人脈を広めることを主な目的として、世界各地を転々とすることが常であった。

朝鮮では家族一緒であったが、ポーランドへは単身で赴任することとなった。朝鮮から一旦、国内に戻った一家は、東京に留守宅を探す必要があったが、この時に借家の紹介に動いてくれたのが、石原莞爾の夫人である錦子であった。この時、石原莞爾はドイツに留学中であったが、その留守宅にあった錦子の斡旋により、樋口家は玉川電車の松陰神社前駅より徒歩五分ほどの物件を見つけることができた。

結局、樋口がポーランドに発つのと入れ替わるようにして、石原がドイツから帰朝。主人のいなくなった樋口家は、その後も石原家の親切に何かと助けられた。

樋口のワルシャワへの行程は、シベリア鉄道でモスクワまで行き、それからポーランドに入るというルートだった。途中で立ち寄る形となったモスクワでは赤の広場などを見物し、さらにはレニングラードまで脚を伸ばして、樋口はロシアに関する理解を深めた。

一九一八年十一月に、ポーランド共和国は独立を果たした。一九一九年から一九二一年には、ロシア革命に対する干渉戦争の一環とも言えるポーランド・ソビエト戦争が勃発している。「ポーランド公使館付武官」というポストは当時、対ロシア研究における最重要ポストとして位置づけられており、特に将来を嘱望された人物が代々その任に就いていた。樋口の前任者は後の大将、岡部直三郎である。

樋口がまず取り組んだのは、ポーランド語の習得であった。ポーランド語はロシア語と同じスラブ系言語であり、通じる部分も少なくないが、樋口はこの新たな語学の体得には随分と苦労したようだ。ロシア語と混線してしまうというのである。

結局、樋口はポーランド語の習得を半ばで諦め、代わりにフランス語の勉強に精を出した。当時のポーランドでは、フランス語がよく通じたためである。

フランス語の上達は速かった。樋口は元来、ロシア語は十分に堪能であったし、その他、少尉時代から学んだドイツ語も達者であった。樋口は戦後に書き記した『回想録』の中でも、ロシア語の文法や、他の言語との比較などにもかなりのページを割いており、こういった所からも樋口が語学に対して強い興味を持っていた一面がうかがえる。戦後、樋口はレフ・トルストイの『アンナ・カレーニナ』の全訳に挑戦し、やり遂げている。

実母の死

樋口が日本からポーランドに発った後、淡路島にいた実母・まつが亡くなった。樋口はその突然の訃報を、着任間もないワルシャワの地で知った。

一九二五年（大正十四年）十月二十八日に、樋口が妻の静子に宛てた手紙が残っている。手紙は静子から届いた手紙に対する返信であるが、その中で樋口は実母についてこう記している。

〈淡路母上御逝去ハ突然ナリシ。此レ程ナラバセメテ母国出発前、今少シク孝養ヲハタシタカリシト思フモ今ヤ詮ナシ〉

母の最期を看取ることができなかったことを悔やむ樋口が、文字を通じてその苦衷を漏らしている。

手紙はその後、ワルシャワでの生活についての描写へと移る。

〈独リ夕食ヲ喫シ広キ邸宅内ニ人声モナクナル時、云ヒ知レヌ寂寞ニウタルルコト多シ。之ガタメ最近、英国製最優良ノ蓄音機ヲ求メ「アイーダ」「カルメン」「マダムバタフライ」「トラビアータ」其ノ他ヲ奏楽セシメ自ラノ楽シミト成シ居レリ〉

同時に、日本の音楽が恋しくもあったようで、手紙はこう続く。

〈義太夫（特ニ予ノ愛好スル曲）日本古代ノ名曲等代表的日本音楽ノ粋ヲナス品二十枚送付アリタシ〉

さらに樋口は、干物や日本酒を送るようにとも頼んでいる。そして最後は、父親の顔で手紙を締め括る。子どもたちから届いた手紙に対する感想だが、これがなかなか手厳しい。

〈美智子（著者注・長女）ノ字、頗ル拙。判読ニ困リタリ。徳坊（著者注・季徳。次男）ノ画、進歩ノ跡見ヘズ。之等ハ物事ヲ丁重ニナス如ク仕込ムノ要アルベキカ〉

遠く異国の地において、子どもたちの心配をする父親の横顔である。

そんな手紙をしたためる一方、日々の任務は重要な案件が続いた。ポーランドで迎える初めての冬が近づく頃には、パリに留学中だった朝香宮鳩彦王《あさかのみややすひこおう》がワルシャワを訪れた。目的は第一次世界大戦の戦跡を見学することであったが、訪問は非公式のもので、朝香宮は「朝香伯」の名前でワルシャワ入りした。朝香宮は中央幼年学校で樋口の一年先輩にあたり、樋口が陸軍大学校を卒業して歩兵第一連隊に帰隊した時の直属の大隊長でもある。樋口は昼間の戦跡見学、夜に執り行われる正餐などに随行した。

また、この年の暮れには、南雲忠一《なぐもちゅういち》海軍中佐（後の海軍大将）が、欧米視察の際にワルシャワに立ち寄り、樋口の家に宿泊している。南雲と言えば、対米英戦争開戦時、第一航空艦隊司令長官として、真珠湾攻撃を指揮したことで知られるが、その南雲が樋口邸を訪れ、日本国内の最新の情勢を樋口に伝えた。内地の情報に飢えていた樋口は、南雲の話に深く耳を傾けた。南雲は帰国後、樋口の留守宅を訪ね、樋口のポーランドでの様子を事細かに家族に伝えたという。南雲は温かな思いやりを兼ね備えた人物であった。樋口と南雲はその後も交流を続け、樋口にとっては数少ない海軍の友人となった。樋口がポーランドから戻った後、二人は大亜細亜協会の仲間としても交わり、連れ立って酒を呑む機会も少なくなかったという。

真珠湾攻撃による対米英戦勃発後、南雲はミッドウェー海戦、南太平洋海戦などを経て、サイパン島に着任。一九四四年（昭和十九年）に米軍の上陸作戦が始まると、迎撃戦を指揮した。約二十日間の激しい抗戦の後、守備隊は玉砕。南雲も戦死（自決など諸説有り）の運命を辿ることとなる。

社交界での振る舞い

ヨーロッパ文化の象徴的な存在の一つとも言える舞踏会は、様々な情報が飛び交う空間であり、これら社交場へ顔を出すことは、駐在武官の重要な職務の一つとも言えた。いつの時代も、社交界には無数の情報が乱れ飛んでいる。

だが当時、洋行する日本人にとって、華やかな社交界でいかに振る舞うかということは、一つの課題であり、障壁であるとさえ言えた。第一次世界大戦後のパリ講和会議に向かう日本代表団（首席全権、西園寺公望）の随員たちは、欧州に向かう船上で、舞踏の練習を繰り返したという。

しかし、樋口は社交界への出入りを苦にしなかった。というよりも、随分と楽しんでいた様子さえうかがえる。

樋口はワルシャワに到着して早々にダンスのレッスンを開始している。樋口の上達は早かった。

ハバロフスク時代にピアノに挑戦しようとしたエピソードは先に紹介したが、樋口は生来、多芸な人物であり、特に音楽を始めとする芸術への関心は人並み以上に強かった。

樋口がワルシャワで暮らしたのは、両次大戦間にあたるが、この時期のヨーロッパは、時代の不安を裏返すように、たぎるような芸術運動が勃興した時代でもある。ラジオやレコードの発達により、音楽がより身近な存在となり、ラジオ放送を意識した曲づくりも行われた。新ウィーン楽派のシェーンベルクや、新古典主義のストラヴィンスキーが活躍したのもこの時代である。

また、樋口がポーランドに赴任した一九二五年と言えば、パリで現代産業装飾芸術国際博覧会が催された年であり、この博覧会を機にアールデコという言葉が一般化し、その後、世界中を席巻した。芸術的に一つの頂点を迎えていたヨーロッパの空気を直接、吸えたことは、樋口の人生にとって大きな収穫であったろう。

樋口は絵も巧かったと言われている。陸軍の教育課程では、幼年学校から図画の授業を導入していたが、これは携帯用の写真機が普及する以前、戦場の地形を把握し、情報として共有するため、写生術が必須の能力の一つとされたためである。樋口の筆は、同期生の間でも抜きん出ていた。

現在、樋口の子孫の方々の経歴を俯瞰してみると、芸術に対する共通した血の連なりを強く感じ取ることができる。樋口は六人の子どもに恵まれ、今ではその孫、そして曾孫までが生まれているが、その中には謡曲の師範、西洋音楽が専攻の大学教授、ピアニストといった仕事をされている方々が少なくない。樋口の遺伝子を持つ子孫たちが、芸術方面で活躍している現在の光景を見ると、時代が時代であったなら、樋口も軍人ではなく芸術家にでもなっていたのかもしれないと想像をたくましくしたくなる。

この年のクリスマスには、在ワルシャワの英国大使館でマスケンバール（仮装舞踏会）が催されたが、樋口はこの時、サムライの格好で出席し、会場を大いに沸かせた。もちろん、こうした社交界への出入りは前述の通り、情報収集や人脈の構築など、本務に役立てることを目的としていることは言うまでもない。

樋口は百七十センチ以上と当時としては長身で、かなり立派な体軀をしていたが、ワルツなども随分とさまになっていたと言われている。周囲からは「トルコの皇太子と似ている」と評判が立った。

この辺りの樋口の行動は、盟友である石原莞爾とは対照的である。石原は日本人が西洋文明を無条件に受け入れ、西洋人の文化に軽々と従うことに強く反発していた。日本人がダンスに興じている風景を嫌い、そんな場面に遭遇すると野次を飛ばしたこともあったと言われている。そんな石原もドイツ留学の日々を通じて、西洋に対する過剰とも言える意識は徐々に減じていくが、それでもそんな石原の元来の態度と比べると、樋口は西洋文明に対してより大らかな柔軟性を有していたと言える。

幼少時からある種の天才性を色濃く帯び、将校となってからも辣腕を振るうと同時に、時に奇行も目立った石原に対し、樋口の行動は全体的に適度な抑制が効いていた。樋口は一個の秀才に違いないが、天才肌ではない。

樋口はオペラ鑑賞などにも足繁く通った。これらの樋口の行動は、ロシアを含むヨーロッパ社会、キリスト教文化圏の思考や理屈を、多方面から理解しようとした表れであったと理解できるが、それと同時に個人的な嗜好もあったのではないかと考えられる。

また樋口は元来、読書家であったが、このワルシャワ滞在時には、ヨーロッパの作家の名作を原書で次々と読んだ。日蓮宗の信者でもあった樋口だが、聖書にも目を通した。
その生涯を通じ、進取の気概に富んだ樋口であったが、その持論の一つは「死ぬまで勉強」であった。

当時の日本陸軍の駐在武官は、大別すると二つの類型に分けられるように思う。一つは、海外生活の中で日本への愛国心を強め、視野や思考を集中的に母国へと向けたタイプである。彼らの中には、自らの方向性を偏狭な愛国心へと収斂させる者も少なくなかった。
もう一方は、外国からの複眼的な視点を得て、視野を広め、より懐の深い世界観を養った者である。外国文化を適度に吸収することに長けていた樋口は、後者の典型であった。樋口の有したある種の冷静さと柔軟性は、当時の陸軍内において跋扈しつつあった直情的な軍人の類型とは一線を画すものであった。

ただ、樋口が社交界に出入りしていることは、日本の中央には悪く伝わった面もあったようである。前述の通り、社交界に顔を出すことは、本来は本務を遂行する上で必要不可欠な要素なのだが、内地の一部の人たちからすると「樋口はダンスなどして遊んでいる」ということになる。

そんな悪評がどの程度、影響したのかはわからないが、翌一九二六年（大正十五年）五月、樋口は妻の静子をワルシャワに呼び寄せた。先に紹介した樋口の手紙には、

〈家庭ノ都合サヘヨクバ来年中頃当地ニ来ルモ亦《また》ヨカラン。此ノ辺ノトコロヨリ石原氏ニ御依頼シ置キタリ〉

とあるから、静子の渡欧は樋口が求めてのことであったのだろう。社交界に出入りする際にも妻と同伴した方が自然であり、受けもいい。しかし当時、こうした海外勤務は単身での赴任が原則であり、現地で外国人の愛人を囲う将校もいた中で、赴任地に妻を呼び寄せた樋口のような例は、珍しかったと言える。手紙の「石原氏」というのはもちろん、石原莞爾のことを指す。

結局、当時、四人いた子どもたちは、樋口の養母・とよの所に預けられる形で日本に残った。さらに、家庭教師役として、石原莞爾の甥である川内清二郎が、静子の去った後の樋口家に同居することになった。子どもたちは川内のことを、

「かわうっちゃん」

と呼び、すぐに親しくなった。

樋口家は石原莞爾の妻・錦子の計らいで世田谷に新築の家を借り、そこに引っ越した。この

辺りの経過については、先の手紙の文面にもあるように、樋口から石原へと直々に要望が伝えられていた結果であろう。二人は赴任地が離れても、家族ぐるみの付き合いを保ち続けていた。

李王垠のワルシャワ訪問

静子がワルシャワに来たことで、樋口の生活も落ち着きを見せた。静子は五目飯やさつま汁など、得意の和食を公使館員たちにもふるまって喜ばれた。皆、手作りの和食に飢えていたのである。

静子は社交界で夫を支えるため、英語を学び始めた他、ダンスも習い出した。習うといっても、先生は樋口である。静子は英語もダンスも上達し、すぐに社交界の人気者となった。

樋口の在ワルシャワ時の主な任務は、革命後のロシアの内部事情を調査することである。樋口がポーランドに着任した前年の一九二四年にはレーニンが倒れ、翌一九二五年一月には革命の功労者であったトロツキーが失脚した。ヨーロッパ各国はソ連の動向に注目したが、それは日本も同様であった。

樋口はワルシャワ時代に、近代的な諜報戦術を学んでいる。当時、日本の大使館や領事館は、総じて諜報活動を積極的に行っていた。大使館などから送られる電報は、外務省を経て参謀本部へと届けられた。もちろん、こうした情報戦は日本だけがやっていたものではなく、逆にソ連からも多くの諜報部員が日本に入り込み、情報収集や謀略活動を行っていた。

樋口はこのポーランド在任中、ヨーロッパ各地を精力的に視察している。ルーマニアやトルコ、ユーゴスラビアといった国々にまで足を運び、現地の最新情報を収集した。

一九二七年（昭和二年）十一月には、李王垠がヨーロッパを巡遊の際、ポーランドに立ち寄っている。初代大韓帝国皇帝である高宗の第七男子で、韓国最後の皇太子である李垠（イ・ウン。日本語読みは、り・ぎん）は、幼少時から日本で育てられ、韓国併合と同時に日本の王公族として李王世子に封じられた。日本の陸軍士官学校で学び、日本の皇族である梨本宮守正《なしもとのみやもりまさ》王《おう》の第一王女である方子《まさこ》女王と結婚した。

この巡遊には妃殿下も同行しており、李垠は「ギン伯爵」の仮名で旅を続けていた。

この来訪に際し、樋口は日程の作成段階から、実際の案内役まで、実務に奔走した。この旅行に関する記述は篠田治策著『欧洲御巡遊随行日記』に詳しいが、その中に樋口の名前も複数回、登場する。

〈十一月二十五日

ポーランド国境よりワルソー行の列車に乗り換へて東南行す。大村少将は国境にて分れ、樋口少佐と井上官補案内役たり〉

翌日の日記にはこうある。

〈十一月二十六日
ホテルに帰りて千葉代理公使の波蘭（著者注・ポーランド）事情、樋口少佐の波露戦争の状況の御進講あり〉

「波露戦争」とあるのは俗に言う「ポーランド・ソビエト戦争」のことで、これは第一次世界大戦が終結し、ポーランド共和国が独立を果たした後の一九一九年から一九二一年にかけて、ウクライナやポーランド東部を舞台として勃発した戦闘のことを指す。ヴェルサイユ条約により、ドイツとソビエトから領土を割譲されたポーランドだったが、いわゆる「ポーランド分割（一七七二年八月五日）」以前の領土を回復することを目的として、ソビエトへと侵攻したのであった。

ポーランドというと、第二次世界大戦においてナチス・ドイツに蹂躙されたという歴史的事実ばかりが語られるが、第一次世界大戦終結直後のポーランドは、欧州大陸の中でも最も領土的野心をあからさまにした国であったと言っても間違いではない。洋の東西を問わず、当時の国家間の戦争において、どちらか一方が加害国で、一方が被害国であるなどということはありえず、戦争とはその割合の差異はあるにせよ、国家間の相互的な関係性の中において、発生するものである。

この「ポーランド・ソビエト戦争」において、序盤はポーランド軍の優勢だったが、一九二〇年四月以降は赤軍の猛反攻に遭い、逆にワルシャワ近郊まで攻め込まれた。しかし、ポーランドはフランスから援助を受け、赤軍を押し返すことに成功。同年十月に停戦となり、翌一九二一年三月に、講和条約が結ばれた。これにより、ポーランドは東方に大きく領土を広げることに成功したのだが、樋口はこういった概略を、李王垠に解説したのだと思われる。

翌二十七日には、樋口の自邸に両殿下を招待し、午餐会が催された。

一行は二十九日に時のポーランド大統領、イグナツィ・モシチツキを訪ねているが、樋口もこれに同行している。


幅広い人脈を築いたワルシャワ時代の樋口だったが、後の大東亜戦争（太平洋戦争）において重要な役割を担うことになる人物とも、この時期に多く交流している。

後に真珠湾攻撃を指揮することになる南雲忠一が樋口のもとを訪れたことは先述したが、ドイツのドレスデンには、戦後、A級戦犯として刑死することになる武藤章が、陸軍大尉として欧州情勢の研究のため留学していた。樋口はワルシャワ時代にドイツを何度か訪問しているが、この武藤を訪ねることもたびたびあった。ある時には、二人してオペラに赴き、『カルメン』を鑑賞し、交遊を深めている。

コーカサスへの旅

この時期の樋口の仕事の中で特筆すべきは、ソ連国内への視察旅行であろう。革命政権成立後のソ連は、外国人の入国を厳しく制限していたが、樋口は草の根ルートから独自に交渉し、一九二八年（昭和三年）、実際にコーカサス地方やウクライナなどを約一カ月にわたり、視察旅行という名目で訪れることができた。ロシア革命後、これらの地域に入ることができたのは、日本の軍人では樋口が初めてである。この視察旅行が実現した背景には、樋口が社交界で構築した人脈があった。

この旅に同行したのが、秦彦三郎である。秦は東京外国語学校夜間部時代からの樋口の盟友であり、後に樋口の生涯において重要な役目を果たすことになる人物であるが、それは後半の章に譲ろう。

一九一九年（大正八年）に陸軍大学校を卒業（三十一期）した秦は、満州里特務機関長などを経て、ソ連駐在武官補佐官の任に就いていた。

視察旅行は、樋口と秦の二人旅であった。二人はアゼルバイジャンのバクー、アルメニアのエレヴァン、グルジアのチフリス（トビリシ）といった都市を巡り、各地で情報を集めた。

陸軍にとって、ソ連（ロシア）は、常に仮想敵国の第一として位置づけられていた。日露戦争の復讐という文脈も強かったし、実際、スターリンが後の対日参戦を指して「日露戦争とシベリア出兵の復讐」と語っていることを考えれば、日本側の見込みは間違っていなかったと言える。革命後、着々と国力を増し、軍事力を膨張させるソ連は、日本にとって最大の脅威であり、無視できない対象であった。

樋口のようにロシア語にも通じた「ロシア屋」は、そういった情勢を背景に養成されたエリート将校である。

ちなみに、日本陸軍の有する装備は、零下三十度になっても機能するように作られていたし、演習なども極寒の地を想定して行われていた。戦略の研究も、大陸における運用を基本として考えられており、そのような陸軍がその後、対米戦の中で、東南アジアや南太平洋の島々といった高温多湿の地域を主戦場とせざるをえなくなったのは、帝国陸軍の悲劇の一つと言える。

樋口のワルシャワ生活は三年に及び、一九二八年（昭和三年）に帰朝することとなったが、その帰途、オーストリアでは山下奉文《ともゆき》と出会っている。山下は当時、駐在武官としてウィーンにあり、日本に戻る樋口をハンガリー料理店とオペラ鑑賞でもてなしたという記録が残っている。山下は対米英戦争時にはシンガポール方面の軍司令官としてその名を轟かせるわけだが、その「マレーの虎」と呼称された無骨なイメージとは違った一面を樋口は記憶している。

〈彼の堂々たる風貌の故に、敗戦後の今日彼は多くの損失を蒙っている。（略）彼の本性は内に相当の慎重を蔵しているのであり、芸術味も豊かであり、軽率なる反乱に同調する人間ではない〉

（『回想録』）

樋口の孫にあたる隆一氏は、現在、明治学院大学芸術学科の教授である。専攻は西洋音楽史で、

「祖父の影響を受けているのかもしれません」

と語るが、隆一氏は生前の樋口が山下のことを語っていたのを覚えている。

「山下奉文のことは大変な教養のある人だと話していました。二人ともヨーロッパ駐在経験が長く、通じる部分があったようですね。そして、『戦前にヨーロッパで比較的いい思いをした山下や自分などは、戦時中にみんな僻地にやられた』なんて冗談めかして話していました」

この発言には樋口の本音の欠片《かけら》があるかもしれない。

樋口の日本への帰国の旅はウィーンの後、ローマ、パリ、ブリュッセル、ロンドン、そしてアメリカに渡り、サンフランシスコから横浜へ向かう船に乗った。

一九二八年（昭和三年）七月四日、樋口の乗船した『さいべりや丸』は無事に横浜港に入港。港には養母や子どもたちの出迎えの姿があった。しかし、長男の季隆の姿だけが見当たらない。聞くと、「学校があるから」との理由で出迎えを断ったという。季隆は当時、麻布中学の一年

生であった。

樋口は、「天晴れ、でかした」と思う心境もあったが、それ以上に随分と寂しさを感じたようで、残念がること頻《しき》りであったという。戦後も折に触れてこの時の話をしたようで、季隆は自らの未発表原稿の中でこう記している。

〈正に筆者終生の大失策である。その後父の心境をおしはかるにつけ、中学一年生の判断の浅かったことを後悔している〉

青島時代

ポーランドから帰国した樋口は、陸軍歩兵第三十四連隊付として静岡へ赴任した。歩兵第三十四連隊は、静岡市の中心部に残る駿府城趾にある。一八九六年（明治二十九年）、この歩兵第三十四連隊の誘致に伴い、駿府城の本丸堀は埋め立てられ、主な城郭施設は取り壊された。

樋口の静岡での生活は短く、わずか一カ月ほどで今度は中国・山東省の青島へと派遣された。時は田中義一内閣による第三次山東出兵の時代であり、樋口が所属する第三師団も増派部隊の一員として青島に送られたのである。これは、内乱状態の続く中国大陸において、済南付近の在留日本人を保護するための出兵であった。

同年九月、樋口は青島の土を踏んだ。青島と言えば、樋口が少尉時代にドイツ語留学を夢見た地である。留学は叶わなかった樋口であったが、それから十五年余りを経た後、約五百名もの兵員を引率し、この地に立つことになった。

静岡連隊は青島を拠点に治安維持活動にあたったが、その後、状況が徐々に鎮静化したため、翌一九二九年（昭和四年）の春には、樋口の連隊も内地へ帰還することとなった。

樋口は再び静岡に戻り、東鷹匠町《ひがしたかじょう》の新居で、家族と一緒の暮らしが始まった。

自宅のある東鷹匠町は、伝統ある武家屋敷が軒を連ねる場所で、樋口の住んだ家は、明治時代に建てられたものだった。間取りは六畳が六間、八畳が二間あり、十畳二間の離れがあるという立派なものである。樋口はこの離れを随分と気に入った。庭には掘り抜き井戸から引いた池が二つあり、緋鯉や真鯉が澄んだ清水の中を自在に泳いだ。

静岡連隊での主な任務は、教育主任として連隊の教育計画を作成し、それを実施することであった。言わば、連隊の「教育係」ということになる。樋口にとっては、それまでの経歴とはやや色の異なる、あまり馴染みのない軍務であった。

この静岡時代、樋口は比較的、平穏な日々を送った。朝鮮で生まれた次女の節子は六歳となり、かわいい盛りである。夕食時は樋口の膝の上に座り、樋口がうまそうに飲むビールに関心をしめした。樋口は、

「大人の麦湯はビール。子どものビールは麦湯」

と教えたが、節子は、

「大人の麦湯を少しちょうだい」

とせがんだという。

同年七月には三女の不二子が生まれている。不二子が取り上げられたのは、樋口の気に入っていた離れの一室であった。

名前の由来は、自宅の二階から、富士山が望めたことによる。

新聞班に転任

一九二九年（昭和四年）八月、樋口は家族と共に静岡から東京に戻った。今度の任務は、陸軍省の新聞班（情報班）の指導である。新居を東中野に求め、そこから三宅坂の陸軍省に通う日々が始まった。その家は中村孝太郎少将（後の大将）の持ち家で、それを借り受けた。

樋口は新聞班の次席となったが、この時の班長が桜井忠温《ただよし》大佐である。桜井は日露戦争に出征中、戦闘時に右手首を吹き飛ばされ、そのあまりの重傷ぶりに死体と間違われて火葬場に運ばれかけたという経歴を持つ。帰国後に執筆した『肉弾』は、近代戦記文学の先駆けとして大ベストセラーとなり、イギリスやアメリカなど世界十五カ国で翻訳されるに至った。そんな桜井が一九二四年（大正十三年）から陸軍省新聞班長の役に就いていた。

樋口の新聞班への配属に関しては、樋口がウラジオストック時代に『ウラジオ・ニッポウ』の主筆を務めていた経歴とも関係があったであろう。ただ、陸軍省新聞班の歴史はまだ浅く、樋口は桜井と共に、抜本的な組織作りに取り組むこととなった。

しかし、この新聞班で過ごした約一年間は、樋口にとってあまり本意ではない日々と言えた。当時、陸軍省新聞班と言っても、組織としては甚だ小さく、『朝日新聞』など民間の大言論機関とは比べるべくもなかった。陸軍省新聞班としては、言論界から特に風当たりの強い陸軍について、「悪評を軽減する」ことを主な目的としていたが、具体的な成果を上げることは難しかった。樋口も時には朝日新聞の緒方竹虎と新聞記事のあり方について、議論を交わしたこともあったようである。一九三九年（昭和十四年）に刊行された伊藤金次郎著『軍人わしが国さ』（今日の問題社）には、次のような一文が見られる。

〈樋口は、かつて、新聞班に居て外部と滑らかな接触を見せた〉

しかし、そのような仕事は、樋口にとって必ずしも専心できる分野とは言えなかった。樋口は後に一言、こう記している。

〈永い軍人生活を通じてこれほど意味のない時代は他になかった〉

（『回想録』）

東京警備司令部参謀

一九三〇年（昭和五年）、樋口は東京警備司令部参謀に転補された。本来ならば他の部での任務が検討されていたが、当時、東京警備司令部参謀長であり、かつて樋口が大尉で参謀本部付だった頃の上司である橋本虎之助少将に招かれる形での人事であった。

東京警備司令部とは、一九二三年（大正十二年）九月一日に起きた関東大震災を機に特設された関東戒厳司令部が同年十一月十五日に廃止された後、後継組織として発足したものである。この警備参謀時代の樋口の軍務は、主に首都防衛に関する基本的な計画と指針を構築することであった。当時の東京の防空計画は、イギリスのロンドンなどと比べて、かなり遅れていた。この時期、日本は満州事変の前夜である。国内外の政治情勢は不安定で、将来に備えての首都防衛計画は、重要な任務と言えた。

樋口は軍部内での防衛計画の推進と共に、民間の啓蒙宣伝を重視し、首都圏の各地を講演して回った。講演内容は、爆撃機発達の現状と将来、灯火管制の実施方法、各種防護団結成の必要性など多岐にわたった。長男の季隆は当時、中学生だったが、父親の講演を二度ほど傍聴に行った記憶があるという。

一九三一年（昭和六年）九月、満州事変が勃発。九月十八日、奉天郊外の柳条湖の地において、独立守備隊の将校らが満鉄線を爆破し、関東軍はこれを中国側の攻撃とした。

事変の首謀者は、樋口の親友である石原莞爾である。十月二日に開かれた幕僚会議の場で決められた「方針」には、石原自らが筆を執って記した以下のような言葉がある。

〈満蒙を独立国とし、これを我保護の下におき在満蒙各民族の平等なる発展を期す〉

時の第二次若槻礼次郎内閣は、不拡大の方針を指示したが、林銑十郎率いる朝鮮駐屯軍は、独断で越境して軍を進めた。軍中央は関東軍を制御しようとしたが、関東軍はこれを拒否。その後、政府も現地軍の動きを追認し、わずか五カ月の間に、関東軍は満州全土を占領することに成功した。

この満州事変が、合法的な命令系統を著しく逸脱した関東軍の暴走であったことは言うまでもない。

石原が満州事変を実行したのは、総力戦の時代に対応した国家体制の構築を目指してのことであった。不可避とも言えるアメリカとの来るべき戦争に備えるためには、ヴェルサイユ体制を打破し、国力を拡大しなければ、日本はあっという間に飲み込まれてしまうという強い危機感の発露である。さらに、大恐慌の到来という事態に際し、欧米諸国が保護貿易政策を推し進める中で、経済的な活路を開くための決断とも言えた。

戦後に樋口が書き残したものの中に、『樋口季一郎　遺稿集』がある。これは樋口が晩年を過ごした神奈川県の自宅から一九九九年（平成十一年）頃に発見された未公開原稿で、既刊の『回想録』の内容を補塡する貴重な史料である。この自筆の原稿を、樋口の娘婿にあたる橋本嘉方氏がワープロで記録し直し、私家版として製本した（以下、『遺稿集』）。

この未発表の『遺稿集』の中に、満州事変に関して樋口が記している箇所がある。「柳条溝と蘆溝橋（満州事変と日支戦争）」と題された短い章である。

〈日本は何故満州事変を起こしたか。それは「満州無くして日本の存在無し」と考えたことにある。それは「国防的」であるか、「経済的」であるか。それは近視眼的には経済的であったが、遠視眼的に見れば、国防的であり、日本丈《だけ》の問題ではなく「アジア人のアジア」としての満州の価値を見たものである〉

この章において、「石原莞爾」の名前は一度も出てこない。唯一、石原のことを想定して書いたと思われる部分は、以下の通りである。

〈要するに、直接「満州事変」を構想せし日本の人士は、永遠かつ絶対に「支那本土（万里の長城以西）に於いて、支那人と争わず、而も永遠にその国民と闘争せざるべく」満州事変を惹起したものであった〉

満州事変への一定の理解を示す一方、こう続けられる。

〈この考え方は頗る歴史的であり、合理的であったが、思想宣伝を先行せしめざりし関係として、支那人特に中華人の中堅有志を説得するの努力を欠いたことは遺憾であった。然し右宣伝を先行せしむることにより、平和裡に満州建設が可能であると断じ得ない悲しさを持つのであった〉

思想宣伝の重要性を説くあたりは、特務機関出身の樋口らしい観点と発想であると言える。総じて言えば、樋口は満州国建国の理想にはそれなりの理解を示しているものの、その方法や現実論としては、そこにある種の強い軋《きし》みを感じていた様子が汲み取れる。

その後に建国された満州国は、石原の理想からも遠く離れた国へと進んでいった。石原は元来、満州国はあくまでもアメリカとの総力戦に備えるための後方地域として存在すべきであり、日本の単なる傀儡国家にしてはいけないと考えていた。日本の資源収奪地域としての側面を色濃く見せるようになった後の満州国について石原は、

「あの満州国は私の考えた満州国ではない」

と語ったという。

桜会

樋口の人生における、オトポール事件に到るまでの道程の記述を、もう少し続けたい。盟友である石原莞爾が、満州の地において、関東軍のクーデター的な性格の強い事変を起こした時、樋口は東京にいる。

満州事変の以前より、樋口の交友関係はさらなる幅を見せていた。その中でも見逃せないのは当時、参謀本部ロシア班長だった橋本欣五郎が主唱者の桜会の発起人の一人となり、会合にも数回、出席していることであろう。橋本と樋口は参謀本部内の言わば同じ「ロシア畑」であり、そういった関係から、樋口も桜会と繋がったと推測される。

一九三〇年（昭和五年）に発足した桜会は、日本の軍事国家化と翼賛議会体制への改造を目指した結社で、政党政治の腐敗を厳しく批判。特に農民の窮状を強く訴え、満蒙問題に解決の活路を求めた。

若き青年将校たちの集まりの中では、すでに年配の層に属した樋口だったが、彼の役回りは血気盛んな将校たちに対し、軽率な行動を控えるように言明することであった。軍上層部への不満を、クーデターという直接行動で訴えようとする主張に対し、樋口は以下のように切り返した。

〈もしそれ以上の行動を必要と考えるならば須《すべから》く軍を去って自由の立場において何でもなすべきである〉

（『回想録』）

松本清張の『昭和史発掘』の中に、桜会発足時を紹介するくだりがあるが、その中に樋口の名前が出てくる箇所がある。

〈樋口季一郎は桜会の発起人の一人で、革新幕僚であったが、桜会では橋本欣五郎の急進論に対し樋口は漸進論を唱えていた。桜会内部では橋欣を中心とする急進的なグループと、樋口を中心とする穏健派とが対立していたのである〉

また、元大本営報道部長の松村秀逸が記した『三宅坂』には、さらに詳しい桜会についての記述が見られる。

〈桜会の最初の起りは、昭和五年の秋頃だったろうか。東京警備司令部の樋口季一郎中佐（後の中将、終戦時北海道の方面軍司令官）、陸軍省調査班の坂田義朗中佐、参謀本部ロシヤ班の橋本欣五郎中佐などの肝入で、中少佐、大尉などが、九段の偕行社に集って、その頃流行の国家改造論や、満蒙問題などが中心となって、語合ったものである。

急進派もあり、穏健派もあり、中間派もあった。（略）その中で、橋本欣五郎中佐を班長としたロシヤ班が、急進派だった〉

現在では、「過激派」「テロ組織」といったイメージばかりで語られることの多い桜会だが、松村はこう続ける。

〈会員の大部分は、冷静で、革新などということには、大して興味を持った者は少なかった。（略）だが、この動きは、外部に対しては、大きく響いたし、また急進派の連中が、誇大な宣伝に、これを利用した感も、少くない〉

末松太平著『私の昭和史』には、以上のような事実関係を補足するような文章がある。

〈もともと桜会自体はクーデターを目的につくられたものではなかった。政治や社会問題に没交渉であった軍人に、この方面の関心をよびさます集いだった。したがって、革新をめぐっての、樋口〔季一郎〕中佐を中心とする穏健派と、橋本中佐を中心とする急進派以外に、意識の低い感覚の全くズレたものも、まぎれこんでいた〉

以上が桜会の発足期の様子と、樋口の立ち位置に関する記述であるが、そんな中で、樋口が橋本欣五郎と決定的に袂《たもと》を分かつことになる事件が起こる。

『遺稿集』によると、その日、樋口は橋本から神楽坂の料亭に招かれた。ビールを呑みながら、橋本が樋口に対し、「とある計画への賛否」を問い質した。樋口はそれに対し、こう答えたという。

〈それは内容の如何に因る。元来君の計画は一種のクーデターであり、凡そ世界のクーデターに大小破壊を伴わざるものは絶無であるから、君の計画も亦大体破壊を伴うものと理解する。我が輩は目下この様な破壊に対し、之を防衛する事を任とする機関に奉職して居る。従って大体論としては君の行動に対抗する態度を採らざるを得ないであらう〉

文中の「この様な破壊に対し、之を防衛する事を任とする機関」というのは、この時の樋口が在職中であった東京警備司令部を指している。

この樋口の言葉を聞いた橋本は刹那に憤慨し、ビールの空瓶を樋口に向かって投げつけたという。瓶は当たらず、樋口の背後の金屏風に穴が開いた。当時の橋本は、陸大卒のエリートを仲間として周囲に集めるため、目ぼしい相手を料亭に誘い、酒を呑ませたり、芸者をあてがうことで、支持者を拡大しようとしたと言われているが、この手法は樋口には通じなかった。

樋口と桜会の関係は、ここに終焉する。

結局、一九三一年（昭和六年）十月、橋本を中心とする青年将校たちによるクーデター計画「十月事件」が発覚。満州事変に国内から呼応するべく、企図された計画であった。大川周明や北一輝、西田税《みつぎ》らも加わったこの計画では、十数個中隊の兵力を動員し、首相以下全閣僚、政党幹部、財界人らを殺害し、荒木貞夫中将を首班とする軍部政権を樹立しようという未曾有の規模に到るものであったが、事件は情報が事前に漏れたことにより未遂に終わり、橋本ら中心メンバーは一斉に検挙された。

未遂に終わったこの事件だが、橋本らの企図は、後の五・一五事件や二・二六事件をも上回る大規模なクーデター計画であった。

統制派と皇道派

この時期、陸軍内では統制派と皇道派という二つの派閥が、熾烈な勢力争いを繰り広げている。永田鉄山や渡辺錠太郎らを理論的リーダーとする統制派は、天皇機関説を一つの軸として、軍部が合法的に権力を手にした上で、列強並みの総力戦体制を確立することを目指した。永田の他には石原ら、軍中央のエリート幕僚たちが多く集まっていた。

一方の皇道派は、小畑敏四郎や荒木貞夫の下、若手の士官たちが主に集まり、天皇親政での世直しを旗印に掲げていた。彼らはより観念的で過激であり、非合法な活動に訴えてでも、権力を握ろうとする態度である。

この時期、樋口のもとには、皇道派の面々が数多く訪れている。ただ、このことをもって樋口が皇道派に属していたかというと、そうではない。逆に樋口自身は、皇道派に対してむしろ懐疑的だった。樋口の盟友である石原莞爾は、皇道派をして「センチメンタリズム」と評し、切り捨てているが、樋口もこれに近い態度をとっていた。

樋口自身が、どちらの派閥に属したか、自ら直接的に記したり話したりした史料は存在しないが、高木俊朗著『抗命』の中には、次のような記述がある。

〈粛軍派、いわゆる統制派＝小磯国昭大将、松井石根《いわね》大将、建川美次《よしつぐ》中将、永田鉄山中将、東条英機大将、樋口季一郎中将、佐藤幸徳中将。

この連中はいずれも一個人として見識を有し、たがいに信頼し合うも、あくまで大義名分に立脚し、徒党を組まず、極力、青年将校らの策動をおさえ、人材による全軍の団結をはかるを目的とす〉

これは、佐藤幸徳中将が生前に書き残したという回想録からの抜粋である。佐藤中将は後にインパール作戦において、牟田口廉也《むたぐちれんや》中将の企てた無謀な強行作戦に対し、将兵の生命こそ至上であるとして抗命を試みた人物であるが、この佐藤中将によれば、樋口は統制派の一人として数えられている。

にもかかわらず、この時期に多くの皇道派の面々が樋口の所を訪れていたのは、樋口が陸軍内でロシア通として知られていたことが理由の一つであろう。皇道派は共産主義国家であるソ連に対し、激しい敵意をむき出しにしていた。共産主義勢力が天皇制打倒を掲げていたためである。そのため、彼らは対ソ戦の重要性を説いていたが、その文脈の中で樋口と接近したのだと思われる。

さらに、樋口の妻の親類に、池袋正釟郎がいたことも関係があるであろう。池袋は井上日《にっ》召《しょう》を指導者とする「血盟団」のメンバーであり、周囲の青年将校たちに親類筋の樋口を紹介していたものと考えられる。

相沢三郎

後に「相沢事件」を起こして歴史に名を残す相沢三郎も、この時期に樋口のもとを頻繁に訪れた一人である。

相沢は一八八九年（明治二十二年）、福島県白河町（現・白河市）に生まれた。累代の伊達藩士の家系である。仙台陸軍幼年学校では石原莞爾の一期下にあたり、陸軍中央幼年学校を経て陸軍士官学校に入った。その後、歩兵第四連隊付、歩兵第一連隊付などを経て、一九三一年（昭和六年）八月には歩兵第五連隊大隊長となっている。

性格は直線型で、要領が悪く、昇進は同期の中で遅れがちであった。

樋口にとって相沢は、中央幼年学校の同じ第三中隊の一年後輩にあたる。ただ同じ中隊といっても、樋口はドイツ語、相沢はフランス語専攻だったこともあり、その当時の接点はあまり多くなかった。その後も二十数年間、ほとんど交流がなかったが、この昭和六、七年頃から、再び相沢の方から樋口に接近してきたのであった。

ある時、相沢が一人の男を連れて樋口宅を訪ねた。そのどこか影のある、周囲に凄みを感じさせる男は、名を北一輝といった。

一九二三年（大正十二年）に刊行された北の著作『日本改造法案大綱』は、過激な青年将校たちから熱烈な支持を受けていた。日本社会を革命的に改造し、天皇中心の社会を打ち立てて、国民の窮状を救うという主張は、多くの若者を熱狂させた。

相沢も北の思想的影響を強く受けた一人であった。この相沢を媒介として、樋口と北が出会ったのである。北が樋口の所まで出向いたのには、熱心な日蓮信仰を持っていた北が、樋口を近しく感じた部分もあったのかもしれない。

その日、樋口と北は初めての対面であったが、激しい議論などはなく、その日の話題は、単なる社交辞令の域を出るものではなかったという。

北が来訪したその翌日、樋口は答礼の意味を込めて、大久保にあった北の家を訪ねた。この時、樋口は「片目の魔王」（北は右目が義眼だった）と呼ばれた北に対し、こう言ったという。

〈天皇の軍隊を革命の道具に使用せざること。もしそれが誤用せらるる場合は、仮に北イズムに基づく国家改造が達成せられるとするも、必ずや第二、第三のクーデターが発生し永久に日本の国内平和は期待されないであろう〉

（『回想録』）

この時期、陸軍内では北の著作を信奉する革新派が先鋭化し、組織内の不安定要素となっていた。北の唱える国家改造論は、陸軍内において熱病のようであり、樋口はそんな若い罹患者たちに対し、自重を説く役回りを担うことが多かった。

樋口の主張は「本務は国家改造に先行する」であり、樋口は『回想録』の中で北のことを「元兇」「梟雄《きょうゆう》」とまで書き表している。

樋口は陸軍内における「穏健派」であったと言えるが、強硬派からは「弱腰」と揶揄されることもあった。理知的な彼の行動は、組織の枠組の中で、他者からの批判を恐れないという彼の性格の一端を明確に示すものでもあった。昭和に入り、陸軍は強硬的な組織へと変貌を遂げていたが、その渦中において、「消極を貫く」という樋口の態度は、大波に対峙する一石に似たものであったとしても、それ自体は評価に値するであろう。

そんな理性派としての態度が、後のオトポール事件を生む土壌にもなった。

相沢の他にも、皇道派に属する来訪者は絶えなかった。その中には、後に日本中を震撼させる二・二六事件の首謀者の一人である栗原安秀も含まれる。
激しく揺れ動く陸軍内において、身の処し方に苦労する樋口であった。

子どもから見た樋口

同じ時代、同じ場所にいても、その立つ位置の違いにより、対象の見え方は劇的に異なる様相を示す。この時期、陸軍内の対立と、不安定な国情に頭を悩ませていた樋口であったが、彼の子どもたちにとっては、転勤の多い父親と長く一緒に暮らせた貴重な時代であった。樋口は徹底して、仕事を家庭に持ち込まない態度を貫いた。

長女の美智子はこの頃のことを「一番賑やかな時」(『花の下なるそぞろ歩きを』)と振り返っている。

当時、東京府立第六高女に通う女学生だった美智子は、その日に学校であった話などを夕食時にいろいろと話すことが日課であった。そんなある日、小学生だった次男の季徳が、「一家団らん」を言い間違え、

「『一家団らく』はいいね」

と言ったことがあった。家族は笑いに包まれたが、その後も樋口はしばしば、

「さあ、『一家団らく』にしましょうか」

などと言って、季徳をからかったという。この「一家団らく」は、その後も樋口家の楽しい

「やりとり」の一つとなった。

樋口の孫にあたる隆一氏は言う。

「その話は、今でも樋口家の伝説として残っています。私と祖父との接点は、もちろん戦後だいぶ経ってからのことですが、祖父と言えばまず第一に『話題が豊富で楽しい人』というイメージです。私も祖父に随分とからかわれたりしたものです。それは、戦時中でもたいして変わらなかったのかもしれません。そういう性格の人だったのでしょう」

職業軍人としての顔は、家では出さなかったのだろう。それは戦前の父親の一つの美学であったと言えるのかもしれない。

樋口家の「一家団らん」ならぬ「一家団らく」は、いつも笑いが絶えなかった。百人一首や麻雀、花合せの「八八」など、家族揃っていろいろなゲームをよくやったという。樋口はトランプでは「セブンブリッジ」が好きだった。ワルシャワから日本に戻る船の中でも、船中で知り合った人たちとブリッジをして過ごしたとの記録がある。

戦後の話になるが、四女の智恵子さんは、父やその仲間たちとよくブリッジをした。樋口はよくこんなことを言っていたという。

「学校の算数なんてやらなくていいよ。計算なんてブリッジで覚えなさい」

福山へ赴任

一九三三年（昭和八年）三月、樋口は大佐に昇進した。通常ならば連隊長を命じられるところであったが、八月九日から関東防空演習が予定されていたため、防衛計画の責任者として、その準備を優先することとなった。

関東防空演習は予定通りに行われ、滞りなく終了したが、十一日の『信濃毎日新聞』に主筆の桐生悠々が記した「関東防空大演習を嗤う」という社説が話題を呼んだ。「かかる架空的なる演習を行っても、実際には、さほど役立たないだろうことを想像する」といった主張を展開したその記事は、陸軍内で問題となり、長野県の在郷軍人会は同紙の不買運動を展開。結局、桐生は同新聞社を追われることとなった。

関東防空演習を終えた樋口は、休む間もなく新たに福山歩兵第四十一連隊長に補せられ、東京から福山へ転じることとなった。

この福山行きは、相沢三郎も一緒だった。相沢も同連隊付として着任したのである。樋口は相沢の「革新熱」に否定的だったこともあり、相沢が自分の直接の部下となることに対して、かなり不満であった。

相沢は日に日に皇道派青年将校たちへの共感を強くしていた。皇道派はこう考える。都市部に華やかな消費社会が出現する一方、農村部には深刻な貧困があり、彼らを救うには、「君側の奸（天皇の周囲にいる悪い側近）」を排し、天皇を中心とした親政によって、国を根幹から改めよう。そのためには非合法活動もやむを得ない。

これらの考え方は、直線的、理想的であり、ある種の純粋さを持った思想とも言えるが、だからこそ毒性も強い。

一方の統制派の考え方は、より現実主義的である。非合法活動は排除すべきであり、それよりも来るべき外国との戦争に備え、一日も早く国家体制を整えなければならないと考える。

樋口と相沢は、福山の地において、意見の相違から激しい議論の応酬をしたこともあった。『遺稿集』の中で樋口は、相沢のことをたびたび「荒法師」と称している。二人の意見の違いについては、次のような一文がある。

〈筆者も部下としての彼より、一再ならず「天皇絶対」の言を聞いたが、この文句の内容に於いて、筆者と相当差異があり、苦慮したものである〉

相沢の任務は、連隊長である樋口の補佐であり、連隊内においては武道の指導にもあたっていたが、相沢は体調の不調を理由に、剣道の指導をたびたび休んだ。本来、相沢は剣道四段の腕前である。

後の首相である小磯国昭は、自著『葛山鴻爪』の中で樋口と相沢について以下のように記している。小磯は樋口の福山時代、第五師団長であり、樋口の直接の上司ということになる。

〈相沢三郎中佐は最近迄、筆者（著者注・小磯）統率下の福山歩兵第四十一聯隊附であつた。（略）幸ひ聯隊長は筆者が陸軍省在勤当時から熟知の樋口季一郎大佐であつたので、相沢中佐の言動や勤務振りに付き訪ねた処《ところ》、頭脳は余り良《よ》くはないが正直且《か》つ一徹な性格で、現在は真面目に勤務して居り、聯隊の青年将校等も能く中佐の性格手腕を熟知してゐるので、中佐の宣伝や誘惑が仮にあつたとしても之に乗ぜられるやうな心配はないといふことであつた。樋口大佐に対しては能く向後の善導に意を用ふる様、要望して置いた〉

相沢はこの福山の地でも青年将校たちの国家改造熱を高めようとしていたが、しかし、それは彼の思うようにはいかなかった。中央に比べれば、福山での国家改造問題に対する熱はずっと低かった。相沢の不満は、まさにそこにあったと言える。

そんな相沢をたしなめる役回りとなった樋口であったが、樋口家と相沢家の両家の家族同士は、互いに親しくなった。相沢の夫人・ヨネは、樋口家の「おでん」を「天下一品」と言って褒めた。また、ヨネは美声の持ち主であり、ある時には民謡「江差追分」を披露し、樋口家の人々を感動させたこともあったという。

福山に着任して間もない九月には、樋口家に四女となる智恵子が生まれた。結局、樋口は二男四女という六人の子宝に恵まれている。

樋口の本務自体は、多忙というほどではなかった。

樋口は本務の合間に、地元の名酒を楽しんだり、好きな釣りをして時間をつぶすこともあった。日頃から来客が多く、軍関係者はもちろん警察や消防、学校関連の関係者らも頻繁に樋口の自宅を訪れた。


樋口の次男である季徳は、生まれつき身体が丈夫ではなかった。後年「もやもや病」と判じるが、当時は原因不明の病とされ、年に三回ほど頭痛の発作に悩まされていた。脚の状態も良くなく、この福山時代には左脚を引き摺るようになっていた。

そんな季徳を見た樋口は、通っていた学校を辞めさせ、「謡い」の世界を薦めた。これなら脚が悪くても支障とならない。

樋口の計らいにより、季徳は謡曲の師匠に弟子入りし、修業の日々へと入ることとなった。後年、季徳は家元師範にまでなり、この世界で大成することになる。その背景には父親の導きがあった。

大亜細亜協会

またこの時期、樋口は大亜細亜主義運動にも参加している。大亜細亜主義と一口に言っても、その立場によって思想の差異も大きく、一義的な定義は難しいが、その核にあるのは、欧米の脅威に対するアジアの自立であり、新たな秩序の構築である。

樋口は大亜細亜協会の幹事として名を連ねた。同協会の機関誌『大亜細亜主義』の昭和八年七月号には、樋口の書いた論文が掲載されている。


〈我等の主張する大亜細亜主義は、之を小乗的には日満の協同提携となり、大乗的には、大亜細亜否《い》な世界被圧迫民族の解放を意味することゝなり、此《この》観点よりせば、亜細亜の問題は世界の問題となる〉


ヨーロッパ駐在の経験がある樋口は、ヨーロッパ人がアジアに対して抱いている抜きがたい優越感や差別意識を、身をもって知っていた。樋口は同論文中、ヨーロッパ人が「欧州は文明地域だがアジアは野蛮」といった意識を少なからず有していることを指摘している。

樋口はそんな実経験もあってであろう、「アジア・モンロー主義」にも一定の共感を見せた。同主義はアジアにおける自給自足圏を確立することにより、日本の自立を目指そうというもので、徳富蘇峰や近衛文麿らが積極的にこれを説いた。議論自体は第一次世界大戦の頃からあったが、ワシントン体制に対抗する論理として、特に賛同者を増やしたのは満州事変の後である。

このような思想は、後に東亜新秩序、大東亜共栄圏といった概念の理論的根幹の一つとして膨張していくことになるが、当時の樋口ら多くの大亜細亜協会の会員たちは、そこまで想定していない。

先の引用文中には「日満の協同提携」という言葉が出て来るが、同論文の中には次のような具体性の高い文章も見られ、当時の樋口の満州観を察する上で興味深い。

〈1満州は日本と精神的にも物質的にも密接不可分の関係に立つ独立国たるべきか、2張家の喰物としての依然たる満州と異ることなく留るべきや、3将《は》た又《また》日本帝国主義の爪牙に蹂躙せらるべき運命下に立つと解すべきか。現今満州国家の実相を熟々《つらつら》観察するに、遺憾乍《なが》ら第三にあらずとするも、第二以外の観察圏以外に出づる能《あた》はざるを悲しむ〉

一九三三年（昭和八年）当時の満州国のあり方に対して、樋口が言葉を選びながらも否定的に書いている様子がうかがえる。樋口の偽らざる主張であろう。また、樋口はその後の日本のあるべき姿についてこうも述べている。

〈日支親善も、日露親善も、此日満関係の調整の結果として必然的に好転すべきであり（略）大亜細亜主義の根本は畢竟日本其もの〵調整に外ならぬであらう〉

大亜細亜協会の参加者の中には、松井石根の名もあった。松井は後に南京陥落時の最高司令官として、極東国際軍事裁判（東京裁判）後に刑死となる運命を辿るが、松井自身は本来、日中友好を強く掲げた人物であった。これも日本の近代戦争史における大きな皮肉だと言える。

相沢事件

一九三五年（昭和十年）になると、統制派と皇道派の対立はさらに苛烈なものとなっていた。しかし、樋口にとっては、この時期に東京の中央ではなく、福山の地で過ごせたことは、派閥抗争の中心に巻き込まれずに済んだという点において、結果的に良かったと言えるであろう。

同年八月、樋口の次なる任地が決まった。今度の行き先は満州のハルビンである。第三師団司令部参謀長への着任が決まったのであった。

また、相沢三郎は時を同じくして台湾の歩兵連隊への赴任が決まった。実はこの相沢の転任の背景には、樋口による中央への進言があった。相沢の革新熱に苦心していた樋口が、熟慮の末に導いた最善の対策が、相沢を外地へと離す方法だったのである。

樋口はハルビンに赴く前、相沢を自宅に招き、「転任祝い」として夕食を共にした。樋口によれば、その夜、相沢からは、

「聯隊長殿は法華宗の信者の様だが、何を祈って居るか」

と質問され、宗教論を語りあったという（『遺稿集』）。

それから数日を経た八月九日、樋口はハルビンに向かうため福山を後にした。家族を福山に残し、再び単身での生活となる。樋口の記憶によれば、見送りには相沢の姿もあったという。

この時が、樋口が相沢を見た最後の機会となった。

それからわずか三日後の同月十二日、ハルビンへの途次、満州の新京（現・長春）にいた樋口に驚くべき報せが入る。相沢が永田鉄山軍務局長を、陸軍省内の軍務局長室において斬殺したというのである。世に言う「相沢事件」の勃発であった。省内で高官が殺されるという、陸軍始まって以来の重大事件である。

この事件の前月、皇道派の真崎《まさき》甚三郎教育総監の更迭問題が起きていた。林銑十郎陸軍大臣から辞職勧告を通告された真崎は、統制派の永田の陰謀だと反論する。永田は言わずと知れた統制派の大物である。皇道派の青年将校たちは、真崎が中央の要職から解かれたことに対し、統制派への恨みをさらに強くした。二つの派閥の対立が、人事を巡って激化したのである。相沢はこの更迭問題を契機として、事件を起こしたという。

記録を整理すると、相沢は福山を出発する樋口を見送った翌十日に、東京に向かったことになる。

事件勃発直後、樋口の留守宅に、相沢夫人のヨネが駆け込んできた。樋口家の長女である美智子は、この時の光景をこう記憶している。

〈相沢夫人が我家の玄関にへなへなになって駆け込んで見えたのは覚えている。「永田軍務局長を刺した某中佐とは、家の主人に違いありませんわ。奥様どうしましょう！」〉
(『花の下なるそぞろ歩きを』)

ヨネはそう言って、肩を震わせて涙を流したという。ヨネも夫と共に台湾に行く予定であり、その準備に追われている最中に起こった出来事であった。

ヨネはその後、しばらく床に伏した。相沢も家庭では「良き夫」だったと言われている。相沢は事件勃発後の憲兵調査において、「伊勢の大神が、相沢の身体を借りて天誅を下し給うたので、自分の責任とはちがう。(略)即ち神の啓示である」と語っている。この事から、当時の相沢は「神懸かり状態」にあったと結論づける史料が多勢を占める。しかし、それは彼の一面を描いているに過ぎず、これを以て人格のすべてを語ることはできないのではないか。

相沢三郎も、家では家族思いの優しい夫であった。

樋口は相沢の起こした事件を前にして呆然となった。そして、つい先日まで相沢の直属上官だった自分の責任に悩んだ。その苦悩の背景には、もう一つの理由があった。

相沢の台湾への転任に関し、樋口の進言があったことは先述したが、実はこの人事こそが、相沢を事件へと踏み切らせた直接的な原因の一つになっていたのである。相沢は元来、満州への転任を強く希望していたが、それが受け入れられず、自分の望みとは異なる台湾への異動が決まったことを契機として、暴挙へ走ったという側面があった。

このような事件の背後関係を前に、樋口が強い自責の念を抱いたことは、想像に難くない。先に紹介した小磯国昭『葛山鴻爪』の中には、相沢事件の勃発に関して、次のようなくだりがある。

〈筆者（著者注・小磯）は旧来の指導者として少くとも徳義上の責任は進んで負ふべきものと考へたので、直ちに陸軍大臣に対し進退伺を提出した。樋口聯隊長も其の後、筆者の手許迄進退伺を出して来たが、之は筆者の手許に握つて置いた〉

樋口は相沢事件に際し、進退伺を出していたのであった。小磯がこの届けを手許で止めなかったとしたら、その後の樋口の生涯、並びに、日本の戦争の行く末さえも、まったく違った様相を呈していたことになる。そう考えれば、歴史の持つスリリングな不可思議さを感じずにはいられない。

それでは当の樋口は、相沢事件についてどう書いているだろうか。

防衛省防衛研究所の史料閲覧室内で、『北方情報業務に関する記録』と題された冊子を見つけることができた。これは六人の陸軍軍人が共同で記したもので、樋口もその中の一人として名を連ねている。この冊子の中に、相沢事件について樋口が触れた部分があった。

〈相沢は私の部下として、二年間私の指導を受け私の素志たる「天皇の軍隊を革命の手段となすべきでなく、若《も》し日本改造を必要とするならば軍隊より離脱すべきである」との方針を一応理解した様であったが、彼が一旦東京に遊ぶと其信念が動揺する。それは北一輝氏の指導力が私のそれよりも強力であるからである。又それは積極、消極、攻勢守勢の威力的差異の問題でもある〉

この相沢事件は、翌年に勃発する二・二六事件への契機としても位置づけられる。

右翼の黒幕としてカリスマ的な存在となっていた北は、三井財閥から多額の援助を受けながら、多くの青年将校たちと接点を持ち続けていた。北は青年将校たちの安易な暴発を諫《いさ》める態度を見せた部分もあったが、樋口は生前の相沢が有していた、北に対する思想的共鳴ぶりと、北の持つ革命家としての匂いを分析し、個人的な感慨として、相沢事件の背後に北の存在を信じたのであった。

相沢は翌一九三六年（昭和十一年）七月、第一師団軍法会議による公開裁判で裁かれ、銃殺刑となる。

ドイツ視察旅行

樋口が赴任した一九三五年（昭和十年）当時の満州は、一九三二年（昭和七年）の建国からまだ日も浅く、国家としての体制に不安定さが色濃く残り、社会秩序と治安の向上に尽力すべき課題が山積していた。樋口は特に排日的な傾向の強い匪賊への対策に奔走した。

満州での勤務は約八カ月に及んだが、一九三六年（昭和十一年）五月、樋口の所属する第三師団は、名古屋へと帰還することとなった。報せを受けた樋口の家族は、すでに名古屋で待っていた。

新たな住まいとして樋口家が借りたのは、かつての家老邸という、古いが立派な建物であった。この時の樋口の軍での階級は大佐で、第三師団の参謀長の任にあったが、官舎には旅団長以上でないと入ることができなかったため、借家住まいが続いていた。庭には樹齢百年以上の大銀杏《おおいちょう》があり、秋には実った銀杏《ぎんなん》を近所の人々に配って喜ばれた。

満州から内地に戻った樋口は、その年の夏に、知多半島のとある漁師の家を、子どもたちの学校が休みの間だけ借り受けた。子どもたちを遊ばせるためである。樋口は休日にだけ顔を見せたが、父親としての樋口は意外と心配性で、

「遠くへは行くな！」

と、足の立つくらいの深さの所を海岸線に沿って泳ぐように指導したという。樋口は束の間の休息の中で、三河湾の穏やかな水面に、故郷である淡路島の海を重ねていたのかもしれない。

樋口は地元の人たちと気さくに船釣りを楽しみ、時には鱚《きす》を百尾以上も釣ったこともあったという。そして、そのまま酒盛りとなり、長女の美智子は鱚を刺身にしたり、味噌和えや塩焼きにしたりと忙しく動き回らなければならなかった。

翌年の一九三七年（昭和十二年）三月、樋口は参謀本部付として東京に戻ることとなり、今度は渋谷に居を構えた。樋口家の歴史は、転居の連続である。

参謀本部では、特に重要な職務を任されることもなく、樋口にとってはあまり愉快でない日々を過ごした。この人事に関しては、相沢事件の責任を負わされた結果だという説もある。

五月、樋口はドイツへの視察旅行に出た。日本との距離を狭めつつあるナチス・ドイツの社会状況は、樋口にとっても興味深いものであった。

ドイツへ向かう途中ではモスクワに滞在し、ソ連の計画経済が順調に進んでいる様を確認した。以前はモスクワ駅前に古いフォードが数台、走っているだけだったが、この時には自国製の「ジス型」が運転されていた。

この時期のソ連は、五カ年計画の順調な進行を礎に、国力を重工業に絞り込み、急速な発展を遂げていた。国力の充実は、そのまま軍事力の拡大に繋がっていた。モスクワの変貌は、樋口に重大な警戒心を植え付けるのに十分であった。

モスクワ滞在後、樋口はポーランドのワルシャワを訪れた。樋口にとっては約十年ぶりとなる訪問である。樋口はワルシャワ時代にお世話になっていた人々と懐かしい再会を果たした。その後、ドイツに到着した樋口を出迎えたのが、陸軍少将（当時）で駐ドイツ大使館付武官の大島浩である。

大島はこの翌年の一九三八年十月に予備役となり、駐ドイツ大使を任命されることになる。大島はその後、ドイツとの同盟締結に向けて奔走し、戦後はA級戦犯として終身刑を宣告された（その後に減刑、出獄）。

大島はドイツ国内に広い人脈を持っており、この大島の手配によって、樋口は勤労奉仕団や、少年労働教育の現場、ヒットラー・ユーゲント（ヒットラー青年団）などを視察。精力的にドイツ各地を巡った。

この時、樋口はナチス・ドイツが、ユダヤ人迫害運動を着々と進めていることを実際の目で確認している。ドイツの急速な変貌が、日本にどのような影響を与えるのか、祖国の将来に強い不安を感じた樋口であったが、後に自らが難民問題と直面することについては、まだ知る由もなかった。

三女から見た樋口季一郎

二〇〇八年の晩秋、私は札幌を訪ねた。樋口季一郎の三女である不二子さんと会うためである。樋口の静岡駐在時代に生まれ、「二階から富士が見えるから」との理由で命名されたことは先に述べた。二男四女に恵まれた樋口だったが、現在、ご存命の方は、冒頭から紹介している四女の智恵子さんと、この不二子さんの二人のみである。

八十歳になる不二子さんは、夫の橋本嘉方氏（八十八歳）と共に、突然の訪問客である私を快く迎えてくれた。私は早速、樋口季一郎について、質問を始めた。不二子さんが、穏やかな笑みと共に口を開く。

「父は軍人としてというよりも、優しいお父さんとしての印象の方が強く残っています。家では怒ることもありませんでしたし、いつも楽しい人でした」

不二子さんは、福山、名古屋、東京・渋谷で暮らした時のことをよく覚えている。

「父は家では戦争の話などしませんでした。それよりも夕食の後、いろいろなゲームと言いますか、遊びをしたのを覚えています。父が皆に様々な質問を浴びせるんです」

不二子さんが続ける。

「例えば、父がこんなことを聞きます。『にんべんの付く漢字は？』とか『東海道線はどこからどこまで？』とか。そして兄弟姉妹で競争のようにして答える。そんな家庭でした。その質問は、教育という面もあったわけですが、それがとても楽しかったのを覚えています」

「『一家団らく』ですね？」

「よくご存知で」

不二子さんが思わず相好を崩した。

不二子さんの夫で、樋口季一郎からは義理の息子にあたる嘉方氏は言う。

「私の場合は、結婚したのが戦後ですから、戦後の印象ということになりますが、愛嬌があると言うのか、とにかく楽しい人でした。男が惚れる男といいますか。とにかく話題が豊富で、いろいろなことに通じていました。本当に面白い人でした」

軍人・樋口季一郎の功績を記録する資料からは浮かび上がってこなかった、人間としての樋口の横顔がにわかにのぞいてくる。不二子さんは言う。

「外ではどうだったか知りませんが、家の中では饒舌な人でしたよ。その代わりと言いますか、母はそんなに喋る人ではありませんでした。余計なことは言わないという感じですね」

不二子さんが昔を懐かしみながら続ける。

「私は父からも母からも怒られた記憶がありません。お行儀などは直されましたが、父が厳しかったというイメージはないですね。荒い言葉や命令形の言葉は家では使わなかったと思います。父は淡路島出身で、幼年学校は大阪ですからね。言葉が優しかったですよ」

「関西弁だったのですか？」

「関西弁らしい関西弁は使ってなかったですけど、イントネーションにどことなく関西っぽい柔らかさがありました。

子どもに対しては『けなす』ということはせず、『ほめ育て』の父でしたね。私は勉強がそんなに好きではなかったので、小学校の途中から家庭教師を付けられてしまいましたが」

「戦争にまつわる話はいかがでしたか？」

私の問いに、嘉方氏が答えた。

「戦時中の自分自身のことは、あまり話しませんでしたね」

嘉方氏自身、戦時中は海軍の将校として各地を転戦。激戦をくぐり抜けてきた経験を持つ。

「私に合わせる形で海軍の話などは時々しましたが、戦時中の自身の話はほとんど語ってくれませんでした」

不二子さんが、意外な事実を明かす。

「オトポールの話なども一度も聞いたことがありませんでした。実の娘である私でさえ、難民救出の話を知ったのは、実は父が亡くなった後のことなのです」

第四章　オトポール事件とその後

少将に昇進

樋口季一郎がこの世を去ってから、すでに四十年近くの年月が流れている。平成の日本において、樋口の名前を知る人は今では少ない。しかし、樋口が存在しない現代においても、彼の残光を感じ取ることは可能なはずだ。それは今、瞬いて見える天体の星々の光の一部が、実はもう亡くなっている星から届いたものであるかのように。

一九三七年（昭和十二年）七月七日は、日本史にとって重要な一日である。

中国の北平（北京）郊外に位置する盧溝橋において、日中両軍が衝突。直後に支那事変と称され、その後、日中戦争へと繫がっていった。対米英戦争も、この日の延長線上に存在する事柄として位置づけることができる。

樋口が盧溝橋事件の勃発を知ったのは、事件から二日後の七月九日、東京からの飛電によってであった。この時、樋口はまだドイツ視察の旅の途次である。樋口には急遽、東京に戻るよう命令が下った。樋口はドイツからイタリアのジェノヴァに出て、そこから海路で横浜へと帰ることとなった。

八月八日、樋口はまだ海の上である。この日、樋口は船中で二つの辞令を陸軍省から受け取った。一つは大佐から少将への昇進である。

日本陸軍の将官人事は、陸軍士官学校または陸軍大学校の成績順位が基準となっており、その後は年功序列となるのが基本的な昇進システムであった。昭和初期の日本軍では、高級指揮官の抜擢人事はほとんど見られなかった。一方の米軍は徹底的な能力主義で、能力本意の抜擢も珍しくなかった。

樋口の受け取った辞令のもう一つは、関東軍司令部付としてハルビン特務機関長への就任を告げるものであった。

この人事が、オトポール事件へと直線的に繋がっていくことになる。

新たな辞令を受け取った直後、樋口は無事に内地へ帰還を果たした。

帰朝して数日後、樋口は石原莞爾を訪ねている。当時、参謀本部の第一部長だった石原は、盧溝橋事件後の推移について、苦慮する毎日を送っていた。

繰り返し述べているが、樋口と石原は中央幼年学校時代から気脈を通じた旧友である。陸軍大学校卒業後も二人は深い盟友関係にあり、家族ぐるみの付き合いを続けていた。

石原は中国との事変に関し、徹底的に不拡大の方針を指示していた。石原は、ここで中国と消耗戦を始めたら、本来の仮想敵国であるソ連やアメリカに対する備えができなくなることを危惧していた。しかし、東條英機など拡大派の勢いを止めることは、石原といえども困難であった。樋口が石原を訪ねたのは、ちょうどその時期である。樋口の考えも石原同様、不拡大であった。

樋口はロシアの復興状況を始め、ナチスによるドイツの国力の急速な回復、そしてそれにより近い将来、ヨーロッパが再び戦争に突入するであろうといった予測などを石原に報告した。それに対し石原は、こう応じたという。

〈そうだろう。だからこの際はぜひ共、この日支の紛争を急速に解決せねばならぬ〉

(『回想録』)

二人は日本の行く末に、強い不安を感じていた。

そんな中で迎えた八月二十日は、樋口の誕生日である。しかし、この日に祝うべき対象は、樋口ではなく長女の美智子であった。この日、美智子が結納を交わしたのである。相手は美智子の女学校時代の同級生の兄であった。樋口は一人の父親として、赤坂の料亭「幸楽」にいた。時は中国との事変勃発後であり、式もすべて質素に行われた。

十一月二十日には、飯田橋大神宮（現・東京大神宮）で挙式が執り行われたが、その時、樋口はすでにハルビンの人であった。樋口はハルビンから、

「夫婦は敬愛を旨とせよ」

との電文を寄越している。

ハルビンへ出発

話をハルビン出発前夜に戻そう。

樋口は釜山経由で満州に向かうこととなったが、妻の静子と、四女で末娘の智恵子だけが、ハルビンへ共に引っ越すことに決まった。智恵子はこの時、まだ四歳だったが、その他の兄弟姉妹たちは学校のことなどもあり、日本に残ることとなった。この旅立ちの日のことを、三女の不二子さんはよく覚えている。

「私はその時、小学校二年生でしたが、父の養母、兄や姉たちと一緒に東京駅まで見送りに行きました。父と母と妹が列車に乗った時、涙が溢れてきたことを忘れることができません。その時、兄が『ふうちゃん、後で銀座に出てフルーツポンチを食べようね』と言ってくれたことを覚えています。『ふうちゃん』という呼び方は家族内のもので、父も私のことを『ふうちゃん』と呼んでいました。

その後、実際に銀座に連れていってもらってフルーツポンチを食べました。でも、これは私にとっては本当に哀しい体験で、この話をするといつも涙が出そうになります」

ハルビンに向かう樋口は、銀座で寂しげにフルーツポンチを口に運ぶ愛娘の姿を知らない。

樋口の乗った列車は西へ走り、関釜連絡船を使って朝鮮半島に到着。その後、大連に向かい、当地では南満州鉄道株式会社（満鉄）総裁の松岡洋右に会って、着任の挨拶を行っている。松岡は言わずと知れた、後の外相である。樋口はその翌日に新京に入った。

当時の満州には、先の松岡洋右を例に出すまでもなく、後の対米英戦争において大きな役割を果たすことになる人物が集まっていた。このことは、当時の日本が、国の重点をどこに置いていたかを考える上でも興味深い。

関東軍司令官は植田謙吉大将、参謀長に東條英機中将、参謀副長は今村均少将という顔ぶれである。今村は後の蘭印方面軍最高司令官である。その他にも冨永恭次大佐、田中隆吉大佐など、その後の日本史の中で重要な役柄を演じることになる人物が、この満州の地に参集していた。

冨永は「東條の腰巾着」と言われた男で、戦争末期には比島方面の第四航空軍司令官だったが、レイテ決戦の折、部下を置き去りにして台湾へ逃げ帰ったことで汚名を残す。また、田中は戦後、極東国際軍事裁判の法廷において、検事側の証人として被告の不利となる証言を繰り返したことで有名となる。

当時の関東軍司令部内において、東條派の勢力は強力だった。日中間の衝突に関し、石原莞爾ら内地の軍中央は不拡大方針を徹底しようとしたが、それは組織内において十分な浸透力を保持しなかった。東條派は不拡大方針に逆行するような態度を鮮明にしていた。

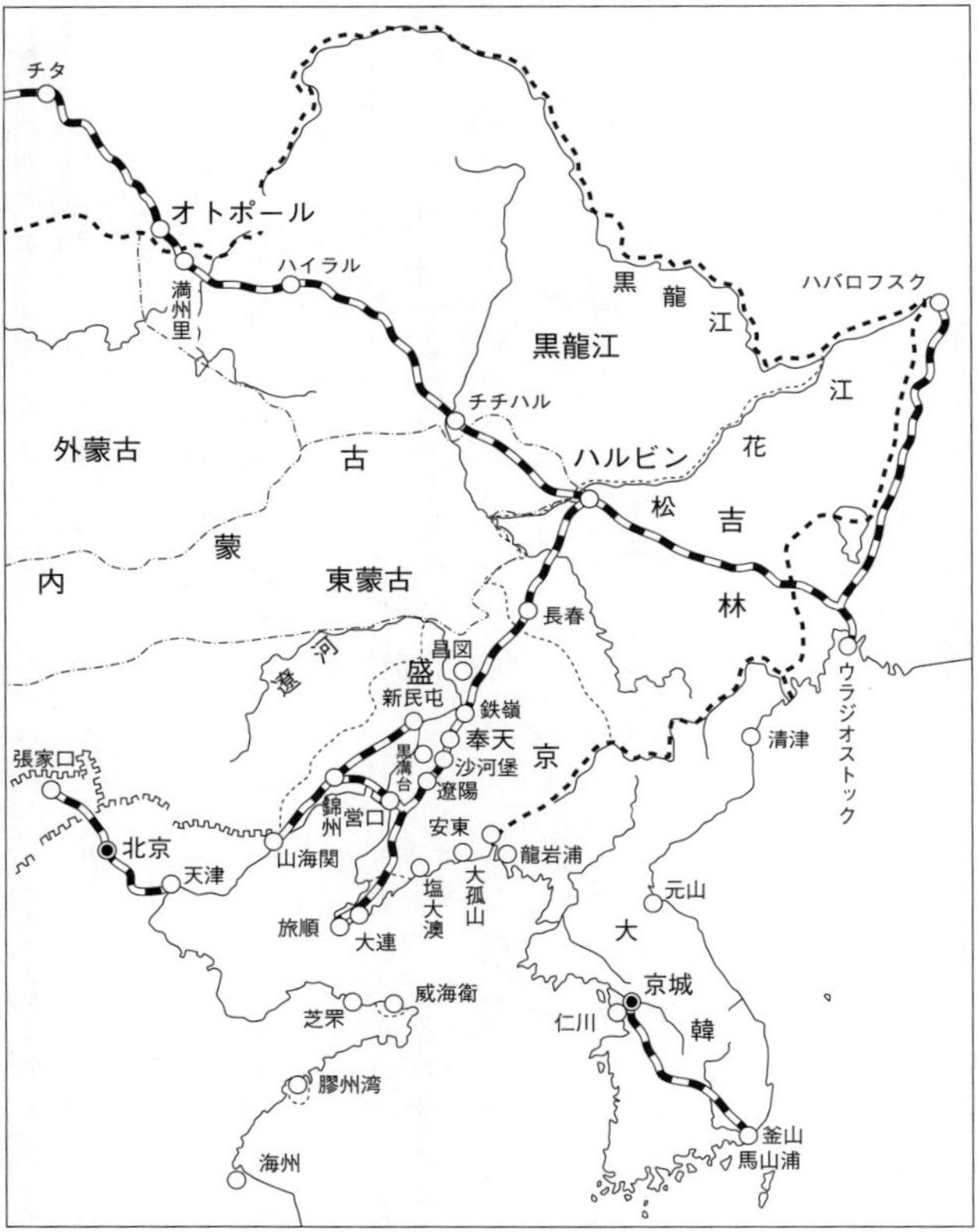

満州国とその周辺地域略図

樋口にとって東條は、陸軍士官学校の四期先輩にあたる。

樋口は東條派の独走ぶりを苦々しく思いながら、ハルビン特務機関での軍務を開始した。現地の東條派の動向は、中央の方針を大きく逸脱しており、その温度差、空気の違いを樋口は強く感じた。関東軍は、陸軍省、参謀総本部の下、天皇の統帥権下に存在するものであるが、実際には中央との距離感を自らも意識し、それを自己肯定しながら、行動を規範している雰囲気が横溢していた。そんな「下克上」的な空気を創出した端緒に、石原莞爾が起こした満州事変があるという一面を否定できないことは、樋口にとっても整理しがたい現実であったと言えよう。

数字の信憑性

このような満州の地において起きたのが、オトポール事件であった。シベリアからソ連領オトポールまで到着したユダヤ人難民たちに対し、満州国外交部は入国を拒否。その事実を重く受け止めたハルビン特務機関長・樋口季一郎は、満州国外交部に働きかけ、ビザの発給を強く促した。さらに満鉄総裁の松岡洋右とも折衝し、難民を特別列車でハルビンまで受け入れることを認めさせた。

人は自らの人生において、風や波自体を作り出すことはできない。時に人生は、思わぬ方向からの強い風によって、本人にも与《あずか》り知らぬ場所へと誘われることがある。

樋口の場合、突然、目の前にユダヤ人難民が出現したことは、彼にとっての不意の暴風であったかもしれない。あるいは故郷の鳴門の渦潮のような激流であったろうか。

樋口の指導によって発給されたビザにより、一説には約二万人ものユダヤ人が救出され、そのうちの一万六千人ほどが、大連、上海を経由してアメリカへ渡ったとされている。残りの約四千人は、開拓農民としてハルビン奥地に入植することになったという。樋口はこれら入植者たちのために、土地や住居の斡旋など、できる限りの便宜を図ったとされる。

だが、この二万人という数字に関しては、冷静な議論があってしかるべきであろう。実の所、二万人という数字の根拠と言えるような資料は存在しない。「一九三八年三月」に起きた前述の救出劇において「二万人の難民が救われた」あるいは「三万人にのぼる」と記す刊行物もあるが、それらは本当に正しいのであろうか。時系列にも注目しながら検討したい。

まず指摘できるのは、「二万人」という数字は、一回の脱出行としては物理的にあまりに多過ぎるのではないかという点である。

オトポールから満州里を経てハルビンに繋がるという、樋口の開いた言わば「ヒグチ・ルート」は、一九三八年三月の後も使われ続けている。そのことを裏付ける一つの論拠がある。オトポール事件に関する資料の中には、難民の中に「クリスタル・ナハト（水晶の夜）」を経験した後、ドイツを出国した人々がいたとする記録がある。ドイツ国内において、数百とも言われるユダヤ教会が焼き打ちに遭い、ユダヤ系商店が次々と襲われ、割れたガラスが水晶のように町中に舞ったというところから先の命名があるこの事件では、百名近いユダヤ人が殺害され、約二万五千人が収容所送りとなったが、この事件の発生は一九三八年十一月九日の夜である。つまり、オトポール事件が起きた日時よりも八カ月ほど後ということになる。一部の資料には、「(一九三八年三月に起きた)オトポール事件」で救出されたユダヤ人難民の中に、「クリスタル・ナハト」からの脱出者がいたように記されたものがあるが、それは時系列の問題からして明らかな間違いと言える。

一九三八年三月に樋口の前に現れたユダヤ人難民の中に、同年十一月に起きる「クリスタル・ナハト」を経験した人がいるはずもなく、にもかかわらず、難民の中に「クリスタル・ナハト」から脱出してきた人がいたという記録があるということは、一度開かれた「ヒグチ・ルート」が、その後も利用され続けたことを意味する。

他の複数の記録と照合すると、一九三八年三月に開かれた「ヒグチ・ルート」は、一九四一年(昭和十六年)六月にドイツ軍がソ連に侵攻し、独ソ戦が勃発するまで有効だったと思われる。その約三年の間に、無数のユダヤ人たちが、このルートを利用した。

ただそれにしても、その総計が「二万人」に達するという証拠は存在しない。

東亜旅行社の資料

数の問題ばかりに議論が偏ることは、オトポール事件の本質を見誤ることにも繋がりかねないが、もう少し考察を続けたい。

取材を続ける中でもう一つ、難民の数を探る上での重要な傍証を押さえることができた。当時、満州の地において、実際に列車の手配などに奔走した東亜旅行社（現・JTB）を始めとする、各旅行会社に残っていた記録簿である。

当時、満州里にあった東亜旅行社の支店は、駅近くの二道街に建つニキチンホテル内にあった。看板には日本語とロシア語が併記されていた。

JTBが二〇〇一年十一月に発行した『観光文化』には、「満州へ来たユダヤ難民」と題された記事が掲載されているが、その中には次のような文章がある。

〈一九三八年（昭和一三）三月八日、シベリア鉄道（ザバイカル線）のソ満国境オトポール駅に一八人のユダヤ人が到着した。（略）しかも後続がいるという〉

樋口の耳に「オトポールにユダヤ人難民が現れた」との一報が入ったのは三月八日だから、日時は合致する。この記録によれば第一陣の数は、わずか十八人である。

しかしその後、列車の到着と共に、難民の数は増えていった。これを受けて樋口らが動き、救援列車を出してハルビンまで移送したのは、これまでに述べた通りである。ではこの移送時の難民数は、どれくらいであったのか。同誌には次のような一文がある。

〈この時到着したのは、浜州線（満州里―ハルピン）の車輛編成や乗務員の証言から考えて一〇〇～二〇〇名と推定される〉

救援列車でハルビンに到着した第一陣の難民数として、推定としながらも「一〇〇～二〇〇名」という一つの具体的な数字を挙げている。

先にも記したように、一回の難民として「二万人」という数はあまりに多過ぎる。また、ヨーロッパにおけるユダヤ人への弾圧も、この一九三八年三月の時点では、後のその苛烈さから比べればまだそこまでの規模のものでもなく、そういった意味でも一九三八年三月に「二万人」の難民が一度に押し寄せたとは考えづらい。

最初に「ヒグチ・ルート」が開かれた時の難民の数は、「一〇〇～二〇〇名」程度であったのだと思われる。その後、同ルートを利用した難民が続々と満州国へ入り、総計が二万人に上るかは別としても、多くの難民たちが満州国を経由して上海などへと移動していったことは間違いない。

東亜旅行社には、入満後の切符の手配を求めて、多くのユダヤ人が詰め掛けたが、『観光文化』には次のような証言も載っている。

〈一九三九年から四〇年にかけて案内所主任（所長）松井繁松（一九三五〜七三在職）の回想によると、週一回の欧亜連絡列車が着くたびに、二〇人、三〇人とユダヤ人が集団で案内所へ押しかけ、四人の所員だけでは手が廻らず、手配・発券に忙殺された〉

その後、一九四〇年（昭和十五年）以降になると、難民の数は一度の列車で百〜二百人にまで増加したという。彼らの中にはトーマス・クックやインツーリスト（ソ連内務省管轄下の旅行社）のバウチャー（引換券）を持っている者もいれば、ろくにお金さえ持っていない者も大勢いた。そのような状況もあって、発券は常に手間取ったが、途中からはアブラハム・カウフマンが代表を務める極東ユダヤ人協会が、難民の旅費の一部を負担するようになったという。

難民の数はその後も増え続けた。ＪＴＢに残っている当時の記録「満州里出入欧亜連絡旅客国籍別一覧表」を確認すると、一九三八年（昭和十三年）にドイツから満州里を通って満州に入国した者が二百四十五名、一九三九年（昭和十四年）が五百五十一名とあり、一九四〇年（昭和十五年）には一年で三千五百七十四名と急増している。この数字の中の少なくない割合が、ドイツを追われたユダヤ人であることは、前後の脈絡からして明らかであると言っていい。

その累計が「二万」にまで達したかどうかについては、昭和十六年の記録がないことと、数字中のユダヤ人の正確な割合がわからないことから、断定は困難である。

樋口自身は、このオトポールでの一連の事件に関して、その『回想録』や『遺稿集』の中で多くを触れていない。二段組み、四百ページを超える長文の『回想録』の中でも、オトポール事件に関する記述はわずか一ページ半ほどのみである。また、その書き方についても終始、抑制のある文章で淡々と事実関係を述べているだけであり、これは樋口自身のオトポール事件に対する態度を表す一つの事象であろう。樋口は控えめに、こんな一文を書き留めている。


〈私はそれこそ「方面指導」であったに過ぎないのであった〉


しかし、ユダヤ人側はそうは捉えず、後日、在ハルビンのユダヤ人たちが、樋口に対する感謝の大会を催した。大会はユダヤ人が経営するモデルン・ホテルで行われた。次々と樋口に対する感謝の言葉が述べられたが、そんなユダヤ人たちの中には、もちろんカウフマンの姿もあった。

そんな中でユダヤ人側から生まれたのが「二万」という数字であった。現在も、この「二万」あるいは「三万」といった数は、主にユダヤ側が挙げる数字となっている。その後、一九七〇年（昭和四十五年）十月に樋口が亡くなった際、『朝日新聞』に追悼記事が掲載され、その中で「二万人」という数字が使われたことによって、この数字は日本国内にも広まり、一部に定着していくことになった。『朝日新聞』の紙面には、次のように記されていた。

〈ソ連と満州の国境オートポールに約二万のユダヤ人が集結しつつあった。ナチス・ドイツのユダヤ人狩からのがれ、フランクフルトからシベリア鉄道経由できた人たちだった。（略）日本政府は、ドイツに遠慮して受入れを拒否した〉

（『朝日新聞』昭和四十五年十月二十日付）

改めて記すが、「二万人」という数字に具体的な論拠はない。

ちなみに、先の引用文中の「日本政府」というのも間違いで、実際には「満州国」である。傀儡的な要素が強かったとは言え、満州国は国際的に認められた独立国であった。

もちろん、「二万人」という数字の脆弱性を指摘することは、樋口の決断と行為を貶めることと同一でないことは明白である。

謎の書き換え

防衛省防衛研究所の史料閲覧室の中に、『回想録』の原文が保管されている。樋口直筆の手書き原稿は、七分冊に分けられ、大切に保存されている。原稿用紙は所々、色焼けした状態で、万年筆で書かれた字体は、読み易いものとは言えないが、刊行物として体裁の整えられた『回想録』にはない情報が、その中に多く散りばめられていた。

その一つが、原文と刊行物との間で、文章が一致しない部分である。

まずは芙蓉書房出版より刊行されている『回想録』を引く。

〈そのため彼ら約二万人が、例の満州里駅西方のオトポールに詰めかけ入満を希望したのである〉

これによると、樋口自らが「約二万」と記したことになる。この文章の「小見出し」にも「二万のユダヤ人を救う」と冠せられている。

次に樋口の手書き原稿である原文から、同じ部分を引こう。

〈そのため彼らの何千人が、例の満州里駅西方のオトポールに詰めかけ入満を希望したのである〉

『回想録』では「約二万人」となっている箇所が、原文では「何千人」となっている。原文には「小見出し」も存在しない。「小見出し」を編集者が加えることは珍しくないが、数字の「書き換え」については、これはいったい何を意味するのであろうか。

『回想録』は元々、樋口の没後の一九七一年（昭和四十六年）十月に『アッツキスカ軍司令官の回想録』として芙蓉書房から刊行された本の再刊である。樋口が原稿を書き、編集作業が行われてから、すでに四十年近くの月日が流れている。

芙蓉書房出版に問い合わせてみたが、案の定、当時の担当者はすでに亡くなっているということだった。現在、この件に関してわかる者はいないという。

当時の直接の関係者が存在しない以上、大胆な予測は邪推でしかない。一つの紛れもない事実としては、樋口の手書き原稿には「二万人」という数字は存在しないということである。樋口の脳裡には「二万人」という数字はなく、数字に固執している様子も感じられない。それが樋口の当事者としての等身大の感覚だったと言えるのではないだろうか。ここからも「二万人」という数字が、本人の手を離れ、一人歩きしてしまった実態が浮かび上がってくる。

ユダヤ人利用論との関係

樋口のこのユダヤ人難民救出劇に関し、「ユダヤ人の対日協力を念頭においてのことであり、人道的な決断ではない」とする議論があることについても、触れておいた方がいいだろう。

日露戦争においては、アメリカのユダヤ資本の対日協力が、日本の戦勝に大きな影響をもたらした。アメリカ系ユダヤ人のヤコブ・シフは、投資銀行クーン・レーブ商会の代表であり、米国ヘブライ救済協会の会長という肩書きを持つが、彼は日露戦争の際、総額五千万ドルにも及ぶ日本の外債を引き受けた。この起債の成功は、日本が大国ロシアに勝利する上で、重要な役割を果たした。シフはこの功績により、後に明治天皇から旭日章を親授されている。この史実から、日本の政府や軍中枢の中で、「ユダヤ人利用論」が生まれたのは自然なことであった。

その後、酒井勝軍に代表される一連のユダヤ研究などが徐々に広がりを見せた。その中には「ユダヤ禍論」から「ユダヤ同祖論」まで、幅広い議論があったが、ただヨーロッパとは違い、国内にユダヤ人をほとんど持たない日本では、ユダヤ人問題は切実な課題ではなかったと言える。日本には、ユダヤ人を迫害する宗教的な理由も、伝統的蓄積も存在しなかったが、そんな中で検討されたのは、ユダヤを単に退けるのではなく、自国のために利用しようという、非常にリアリスティックな態度であった。

そんな潮流の中で、日本側にユダヤ人資本を引き込むための動向があったことは事実である。樋口の部下であった安江仙弘は、満州国にユダヤ人資本を入れ、その上でアメリカとの関係を強化する計画を持っていた。日本とユダヤ、そしてアメリカの戦略的三角形を夢想していたのである（結論から言えば、これはまさに夢想の域を出なかった）。

そういった背景が、樋口のオトポールでの決断にも何らかの影響を与えていたのではないかと考えることは、確かに可能である。

まずは、時系列を整理しながら検討を試みたい。

戦後に書かれたいくつかの資料には、一九三八年（昭和十三年）に開かれた五相会議の場で決められた「猶太人対策要綱」によって、日本がユダヤ人を積極的に利用していく方針が正式に決定され、その系譜の中にオトポール事件も位置づけられると記されたものがある。確かに「猶太人対策要綱」では、「日本、満州、中国に居住するユダヤ人に対し、公正に扱い、特別に排斥するような処置をとってはいけない」「ユダヤ人を積極的に日本、満州、中国に招致するようなことは避けるが、但し、資本家、技術者のような特に利用価値のある者は例外とする」といったことが明文化されている。

しかし、この要綱をもってオトポール事件を語るのには、単純な誤解がある。「ヒグチ・ルート」の開通はこれまでに述べてきた通り、一九三八年三月であるが、五相会議が開催されたのは同年十二月六日である。五相会議とは、それまでの各省会議に代わる形で、近衛内閣が設置したものだが、時系列で考えれば、五相会議の結果があったから、樋口が難民受け入れを決断したと考えることは、明らかな間違いである。五相会議において「猶太人対策要綱」が生まれたのは、樋口の決断から約九カ月後のことである（同要綱は昭和十七年に廃止）。

もちろん、五相会議以前にも、ユダヤ人利用論自体は存在したが、公式の対ユダヤ政策は、この要綱ができるまで存在しなかった。

ジャーナリストのハインツ・E・マウルは、戦時中の日本のユダヤ政策を三つの段階に分けて考えている。それによれば、不確実（一九三三―三七年）、積極化と危機（一九三八―四一年）、プロパガンダとしての反ユダヤ主義（一九四二―四五年）の三段階であるが、この分類を見ても、最初の難民が発生した一九三八年三月は「積極化」の中でも最も初期段階に位置しており、その後に「猶太人対策要綱」が定められ、「ユダヤ人利用論」が本格化していったというのが全体の流れであったことがわかる。

さらに、時系列を整理するという点においては、オトポール事件と「河豚計画（フグプラン）」を結びつけて考察する論についても、冷静な議論が必要である。

「河豚計画」とは、ユダヤ人の満州への移住計画を指すとされるもので、先に紹介した安江らが中心となって主導したと言われる計画だが、この名前の由来は、オトポール事件後の一九三八年七月に行われた海軍大佐・犬塚惟重の演説に端を発するとされる。「ユダヤ人の受け入れは、日本にとって非常に有益だが、一歩間違えば破滅の引き金ともなりうる」という言説に基づくものだ。これを犬塚は、味は良いが猛毒を持つ河豚に喩えた。

ただ、この「河豚計画」という名前は公式のものでも、当時、広く流布した言葉でもなく、戦後にラビのマーヴィン・トケイヤーが自著の題名を『河豚計画（The Fugu Plan）』と題したことから一般的に称されるようになったものである。その呼称と存在自体に疑問を持つ歴史学者も少なくない。

もちろん、「ユダヤ人移住計画」という構想自体はそれ以前からあり、一九三四年（昭和九年）、日産コンツェルンの鮎川義介が同様の思想をすでに論文『ドイツ系ユダヤ人五万人の満洲移住計画について』の中で唱えているが、それがある程度の実体をもって動き出したのは、一九三八年七月以降のことであり、同年三月に起きた最初の難民発生よりも後ということになる。

つまり、樋口がユダヤ人難民の受け入れを決断した時点では、「猶太人対策要綱」も「河豚計画」も存在していない。

ただ繰り返しになるが「ユダヤ人利用論」自体が在野に存在していたことは事実であり、そしてこのことは、実は樋口自身も認めるところなのである。

『回想録』の中に、オトポール事件についての記述が非常に少ないことは先に述べた通りだが、その中で樋口自身の心情を最も率直に記したと思われる部分がある。少し長いが引用したい。

〈ヒットラーのユダヤ追放に反撃を加えたのは、純粋に私の人道的公憤に基づくものであったが、私は日露戦争末期におけるアメリカユダヤの対日協力に思いを致し、いつか必ずユダヤ人との交渉のあるべきを予察し、いささかその道をつけ置くを必要と考えたものであり、これを極東において対ユダヤ関係の緊密化を希望したのであった〉

この文章自体、いささかの矛盾を孕んだ表現となっている。前半部分では「純粋に私の人道的公憤に基づく」としながらも、後半では「対ユダヤ関係の緊密化を希望」とも綴っている。この文章の真意を読み解くことは、困難であるように思われる。

しかし、一つの史料が、幾ばくかの理解の進展を与えてくれた。その史料とは、先にも記した防衛省防衛研究所の史料閲覧室に保管されていた『回想録』の原文である。

原文には所々、樋口自身の筆による修正や加筆、削除の指示などが加えられており、二重、三重に書き足した部分も多くある。『回想録』と照らし合わせてみると、中には『回想録』刊行に際して一章まるまる割愛されている部分があることもわかる。例えば、『回想録』八十四ページ「平和なパスハ（復活祭）」と八十六ページ「ハバロフスクの印象」の間には、原文には「一銭銅貨」と題された一章が存在する。当時のハバロフスクに流通していた通貨について記したこの章が削られたのは、話があまりに専門的であったためであろうか。

この原文と、刊行された『回想録』を見比べる作業を進めていた際、先に抜粋した引用部分が目に止まった。オトポール事件に関する樋口の心情が吐露された部分であるが、実は原文ではこの文章の上に、斜めに線が引かれ、削除の指示がなされていたのである。

それは樋口自身が一度この文章を書いた後に、この部分を削除することに決めた証拠であった。そこに、いかなる心の揺れが存在したのか。先に私が記した矛盾を本人も感じたのか。それとも、当時の心境を辿りながら書いたものの、しっくりとくる的確な表現と判ずることができなかったのか。一般的に言って、回想録といった類いのものは、本人が意識したか否かにかかわらず、自己弁護や合理化に筆が傾く傾向も否定できない。樋口はその危険を自覚し、この文章を破棄したのかもしれない。

とにかく事実として言えることは、樋口が先の引用部分を一度は書いたものの、その後に没にすることに決め、斜線で消したということである。しかし、樋口が亡くなった後に出版された刊行物では、どのような理由、経緯かわからないが、そのまま活字となってしまった。

大胆な類推は危険であろう。事実としては、樋口がオトポールについて「純粋に私の人道的公憤に基づく」と書き、同時に「対ユダヤ関係の緊密化を希望」とも記し、さらにその後に、その両方の文章に斜線を施したということだけである。

そこに樋口の心境の揺れを見ることは容易い。人間の決断というものは、一つの理由によってなされるほど簡素化されたものではなく、複数の要因が複雑に絡まり合いながら、本人にも的確に整理できないままに、行われるものであると言えるのかもしれない。それを後になってどのように理由付けをしても、どれも正確ではないという感覚が残る。樋口はそのことを感じ、動機を語る困難さを悟り、静かに斜線を引いたのではないだろうか。

この斜線にこそ、オトポール事件に対する樋口の心象の核のようなものがあるように思えてならない。

その後の反応

樋口の決断により、オトポールの難民問題は一応の解決を見たが、これは彼の独断に起因するものである。

このオトポールでの顚末を受け、後日、ドイツから日本政府に対して、公式の抗議書が届けられた。ヒットラーの腹心であるリッベントロップ独外相から、オットー駐日大使を通じ、外務省に対して抗議が行われたのである。この抗議に動揺した外務省欧亜局は、直ちに抗議書を陸軍省に回送した。そのため、外務省、陸軍省内でも、樋口の独走を問題視する声が相次ぐようになった。抗議書はその後に、関東軍司令部へと回ってきた。

こうしてこの一件が関東軍内部でも問題となり、樋口に対して関東軍から出頭命令が通達されたのは、言わば当然のことであったし、樋口もそれを十分に覚悟していたに違いない。

関東軍内において、樋口に対する処分を求める声が強まる中で、樋口は当時の関東軍司令官である植田謙吉大将に、所信を率直に披瀝した文書をしたため、それを郵送した。植田は温厚清廉な人物であり、樋口は以前より懇意であった。

樋口はその書簡の中で、次のような趣旨を書き記したという。

〈小官は小官のとった行為を、けっして間違ったものでないと信じるものです。満州国は日本の属国でもないし、いわんやドイツの属国でもない筈である。法治国家として、当然とるべきことをしたにすぎない。たとえドイツが日本の盟邦であり、ユダヤ民族抹殺がドイツの国策であっても、人道に反するドイツの処置に屈するわけにはいかない〉

（『日本』昭和三十七年、新春特大号）

この書簡が、軍司令部内で再び物議を醸す結果となった。

新京の軍司令部に出頭した樋口は、東條英機参謀長と会った。その時、樋口が東條に言い放ったとされる言葉は、現在でも語り草となっている。

「参謀長、ヒットラーのお先棒を担いで弱い者いじめすることを正しいと思われますか」

樋口は自分の決断の正当性を主張し、東條は樋口の話に耳を傾けた。結局、東條はそんな樋口に対し、懲罰を科すことをしなかった。戦後はA級戦犯として戦勝国に裁かれた東條であったが、元々は「カミソリ東條」と称された一面をも合わせ持つ人物である。樋口の決断に一定の理解を示したものと思われる。

樋口は戦後、雑誌上の談話でこう語っている。

〈(東条さんは) 頑固者で、こうと思ったら一歩もあとへひかない性格の持主であったが、筋さえ通れば、いたって話のわかる人である〉

（『日本』昭和三十七年、新春特大号）

東條のこの態度により、軍司令部内での樋口に対する批判は下火となった。植田軍司令官もこれに賛同したので、問題は一気に鎮静化し、ドイツの抗議は不問に付された。

その後、オトポール事件は、公に語られることはなかった。この事件が歴史の表舞台にあがることはなかったのである。

孫が語るオトポール事件

その後、樋口自身もこの事件の詳細について、口を開くことはなかった。それは戦時中はもちろん、戦後になってからも同様であり、樋口家の子どもたちでさえ、オトポールの一件を知ったのは、樋口が没した後だった。晩年、一部の雑誌の談話内で事件の概略に触れることはあっても、それらは大きく報道されることもなく、家族も記事の存在自体、知らなかったという。

三女の不二子さんの証言に戻る。

「ユダヤ人難民を救出したという話は、父の死後、新聞での報道を読んで初めて知ったような次第です。父が亡くなった時、新聞が大きな見出しでユダヤ人救出に関する記事を掲載しましたが、それで初めて『お父様って凄いことをしていたのね』と知りました。

生前の父は、戦争の話題はほとんどしませんでしたが、オトポールの件も私は一度も聞いたことがありませんでした。父は自分が行ったことを誇らしげに語るような人ではありませんでしたから」

不二子さんの言う「新聞での報道」とは、先にも紹介したが、一九七〇年（昭和四十五年）十月二十日の『朝日新聞』朝刊を指す。同月十一日に亡くなり、十九日に告別式が行われた樋口の功績を伝える内容で、総合面に写真入りという扱いで大々的に報じられた。

写真は樋口の顔写真と告別式の様子を写したもので、記事では「ユダヤ人2万に陰の恩人」という大きな見出しに、「ソ満国境に救援列車」「ナチからの脱出援助」といった言葉が続く。

〈樋口氏はその前年まで駐在武官としてポーランドにいたので、ナチスの強制収容所建設と、その意図を知っていた。彼は関東軍には相談せず、独断で十二両編成の列車十三本をオートポールに送り、ユダヤ人を引取った〉

不二子さんはこの新聞報道によって、初めてオトポール事件について知ったのだという。

記事中に「前年まで駐在武官としてポーランドにいた」とあるのは間違いで、実際に樋口がポーランドにいたのは、一九二五年（大正十四年）から一九二八年（昭和三年）のことである。

また、この記事中の「二万人」という数字に確証がないことは先に述べた通りである。さらに「十二両編成の列車十三本」という表記もあるが、これも根拠に乏しい。これまで述べてきたように、最初に移送された難民の数は百～二百名ほどと推計され、特別列車が出たことは事実だとしても、その数が十三本に上るとは考えづらい。十三本という数が、一日の運行数ではなく、その後の運行も含めた総数であることも考えられる。

数字の信憑性はともかくとして、この新聞記事により、不二子さんはオトポール事件の存在を知った。

自らの戦時体験を、息子や娘に話さずに墓まで持っていった人というのは、決して少なくない。それは、終戦と共に世の中の価値観が劇的に反転した日本社会の中において、戦争体験者たちにとっての自然な行動であったと言えるだろう。だが、そんな方々の中にも、子には語らずとも、孫には話しているケースが多々ある。これは人と人との本質的な距離感の問題なのかもしれないが、人間には、我が子には話せないことが孫には話せるという、一つの傾向がある。

私はこれまでの取材経験から、樋口ももしかしたらこの構図に当てはまるのではないかと予測した。私は淡い期待を胸に、樋口の孫にあたる隆一氏に改めて話を聞いた。

「オトポールの話ですか？　戦争の話自体、確かにそんなに話す人ではありませんでした。あの人は基本的に情報将校ですからね。そういうこともあって、戦争についてペラペラと話すようなことはしませんでしたよ」

そう語った隆一氏はその後、しばらく口を閉じた。そして、沈黙の後、口元を少し緩めながら、再び口を開いた。

「でもね、実は私は直接、オトポールの話を聞いたことがあるんですよ」

「本当ですか？　何と話していましたか？」

隆一氏が、少しにんまりした様子で話し始める。

「祖父は『ユダヤ人の件はね、いつか必ず大変なことになるぞ』なんて話してくれましたよ。ちょっとだけ自慢げにね。確かに、本人もなかなか口にしませんでしたが、やはり当人の心の中には『自分はやるべきことはやった』という小さな自負があったのだと思います」

戦争の話に口をつぐみ、自らの功績を誇ることのなかった樋口の態度は、それはそれで自然なものなのかもしれない。しかし、かわいい孫を前にして思わず口を開く樋口の表情は、聖人でもなく、機械でもない、樋口の人間らしさを感じさせる一つの逸話であると言えるだろう。

娘の不二子さんが「父は自分が行ったことを誇らしげに語るような人ではありませんでしたから」と振り返るのも真実だし、孫の隆一氏が「話してくれましたよ。ちょっとだけ自慢げにね」と語るのも真実である。そんな両面を合わせ持つのが人間という生き物であるはずだし、それは一個の人格として全く矛盾しない。

「樋口は生前、オトポールのことを家族にも話さなかった」と語る方が、尊大な偉人という感じが強くなり、評伝としても馴染み易い。しかし、実はこっそりと孫にだけ話をしていた樋口という人物像に、体温のある人間らしさを感じ取ることができる。

私は、樋口の人間味ある一面に触れることができて、淡い喜びを感じたのであった。

樋口の真の思い

私は隆一氏に対し、続けざまにオトポール事件と「ユダヤ人利用論」との関連性についても聞いた。隆一氏は言う。

「オトポール事件については、祖父の没後にいくつかの議論が出ました。つまり、国策との関係性ですね。でも、祖父は私には『あれは個人的な決断だった』と話していましたよ」

樋口はハルビン以前に、ワルシャワに滞在し、ユダヤ人とも接し、その窮状については実際に見て知っていた。樋口は隆一氏に対し、こんな話をしていたという。

「祖父がこんな事を話していたのを覚えています。『自分がヨーロッパに滞在していた当時、有色人種たる日本人に対する差別の目が歴然と存在していた。日本人が下宿を貸してもらえないなんて話は山ほどあった。そんな中で、日本人に家を貸してくれたのは十中八九、ユダヤ人だった。日本人はユダヤ人に非常に世話になっていたんだよ』と。

祖父の決断の背景に、そういった当人の生の体験と、その上に築かれた心情が強くあったことは、無視できないのではないでしょうか」

確かに樋口は、ウラジオストックでもワルシャワでも、ユダヤ人の家に寄宿していた。同時期に欧州に駐在していた秦彦三郎や米内《よない》光政、百武晴吉《ひゃくたけはるよし》といった武官の記録を見ても、彼らがユダヤ人宅に身を寄せていたことがわかる。

隆一氏は続ける。

「もちろん、ユダヤ資本を利用しようという政治的な大きな流れというのも、ゼロではなかったのかもしれませんね。でも、もっと単純な、つまり、お世話になった身近な人たちが目の前で困っている。放っておいたら死んでしまう。難民の中には、それこそワルシャワ時代の知り合いがいるかもしれない。それを無視することはできないじゃないかという、人間としてごく普通の判断があったことは否定できないと思います」

　樋口の心の中には、歴史に残る救済劇をしようということでもなく、だからと言って国策だからやらなければならないということでもなく、もっと身近な判断があったのかもしれない。人道か国策かといった二元論で語ることの危うさである。戦後に樋口が孫に託した言葉が、『回想録』の文章と、その「原文の斜線」の延長線上にある理解を授けてくれた。隆一氏は最後にこう付け加えた。

「先に『祖父は戦争の話はあまりしなかった』と言いましたが、『オトポールは個人的な決断だった』ということは、かなり強い口調で話していました。だから、本心だったのだと私は思っています。祖父にはユダヤ人の知人友人がいっぱいいたんです。実はそこがポイントなんですよ。祖父はこの件について、公に声を出すことをしなかったけれども、心の奥底には『あの時に間違った判断は下していない』というそれなりの思いがあったのだと思います」

「人道的」という言葉を冠するといささか大袈裟に過ぎる形となり、樋口当人の意識からも乖《かい》離《り》してしまう結果となる。そうではなく「近しい人が死にかけている」という眼前の事実をなんとかして解決したいという、本来、誰もが多かれ少なかれ有している心情を、行動として実践に移したのがオトポール事件の核なのかもしれない。

大きな背景として「ユダヤ人利用論」が存在したことは、先にも指摘した通り、史実の断片として間違いないが、しかし、実際の樋口の判断の中には、もっと素朴な感情の発露があり、その上で実現した救出劇だったという側面を無視すべきではない。樋口は自らの内なる想念の声に、忠実であろうとしただけだったのではないだろうか。

時間に余裕がある時、人は高尚なことを考える。理屈は平時に作られる。しかし、ギリギリの決断を迫られた時、人間は選択肢の界面の上で、より本能的な存在へと収斂されていくのかもしれない。

ゴールデンブック

樋口季一郎に関する現存資料は決して多くないが、その中で最も目立つのが「ゴールデンブック」に関する記述である。曰く「イスラエルにはユダヤに対する功労者を顕彰するゴールデンブックというものがあり、これは最高の栄誉であるが、その中で樋口はアインシュタインやメンデルスゾーンらに並ぶ四番目に記されている」、「ゴールデンブックとはエルサレムの丘に建つ黄金の碑のことで高さ三メートル、厚さ一メートルある」、さらには「樋口の名前はゴールデンブックの二番目にある。一番目はイエス・キリストである」といったものまであり、その記述にはかなりのばらつきが見られる。私は事実関係を確認するためイスラエルに飛んだ。

当地で情報を集めていく中でまずわかったのは、ゴールデンブックの所在地である。ゴールデンブックは前述のように「エルサレムの丘に建つ黄金の碑」などではなく、エルサレムに事務所を持つＪＮＦ（ユダヤ民族基金）が作成、保管しているものであることが判明した。

ＪＮＦとは、世界シオニスト機構の傘下にある組織で、パレスチナにおける土地の購入や農業用地の造成、植林といった事業を主に行っている。イスラエル国内では、森や道路などにＪＮＦの立て札が付けられているのを見かけることも少なくない。

私は早速、ＪＮＦの事務所を訪ね、ここで働く女性職員のエフラット・ベンベニスティさんにお話をうかがった。エフラットさんは丁寧な口調で、ゴールデンブックについての説明を始めた。

「ゴールデンブックというのは、私たちＪＮＦに対する献金記帳簿のことです」

「献金記帳簿？」

「そうです」

一九〇一年に開催された第五回シオニスト会議の席でＪＮＦの創設が決定されたが、問題はその運営資金であった。そこで初代会長のヨハン・クレメネッキーが考案したのが、広く献金者を募り、その献金者の名前をゴールデンブックという形で残し、栄誉を称えていくというシステムだった。この献金方式により、ＪＮＦは多額の資金を集めることに成功。この資金を使って、一九四七年十一月二十九日の国連パレスチナ分割決議の採択までに、約九十四万ヘクタールもの土地を購入した。

「その献金記帳簿の中に樋口の名前があるのですか？」

エフラットさんが頷く。

「そうです。その中にヒグチの名前は確かにあります」

「あなたは樋口の名前を知っているのですね？」

「もちろん」

ゴールデンブックの表紙

事務所の玄関脇の階段から二階に上がると、正面のガラス張りのケースの中に、いくつもの分厚い図鑑のようなものが整然と並べられていた。一冊の大きさは縦六十センチ、横四十五センチほどで、それぞれ表紙のデザインは異なっている。エフラットさんは言う。

「ゴールデンブックの第一巻は一九〇一年に編纂されました。現在は二十六巻まであります。いずれも当基金への献金者の名前を列記したものです」

「ゴールデンブックというのは、ユダヤ社会における『最高の栄誉』といったものではないのですか？」

私の問いに、エフラットさんが苦笑を見せた。

「栄誉ではありますが、『最高の栄誉』といったものとは違いますね」

エフラットさんはそう言って、一旦、パソコンのある部屋へと案内してくれた。このパソコンで名簿にある名前の検索が可能だという。彼女が〈HIGUCHI〉の名前を手際よく打ち込むと、間もなく検索結果が画面に映し出された。

「ヒグチの名前は第六巻、四〇二六番目にあるようです」

エフラットさんは他の職員に命じ、ガラス張りのケースの中からゴールデンブックの第六巻を出させた。一冊の重さは、二十キロにも及ぶ。

表紙には黄金の門が描かれている。重厚なその表紙を開くと、多くの名前とその献金額が表組になって記されていた。四〇二六という数字を手がかりにページをめくっていくと、確かにそこに樋口の名前があった。ヘブライ語の表記の下に「GENERAL HIGUCHI」と書かれ、その下にはTOKYOと記されていた。

樋口の名前のすぐ下の欄に目を移すと、そこにはカウフマンの名前があった。「DR. ABRAHAM KAUFMAN」とあり、その下に「HARBIN」と書かれている。

さらにその下の欄には安江の名前があった。「COLONEL N. YASUE」とあり、下に「DAIREN」とある。安江には大連の特務機関長を務めた経歴がある。
オトポール事件に絡む三人の名前が、ゴールデンブックの中に静かに並んでいた。

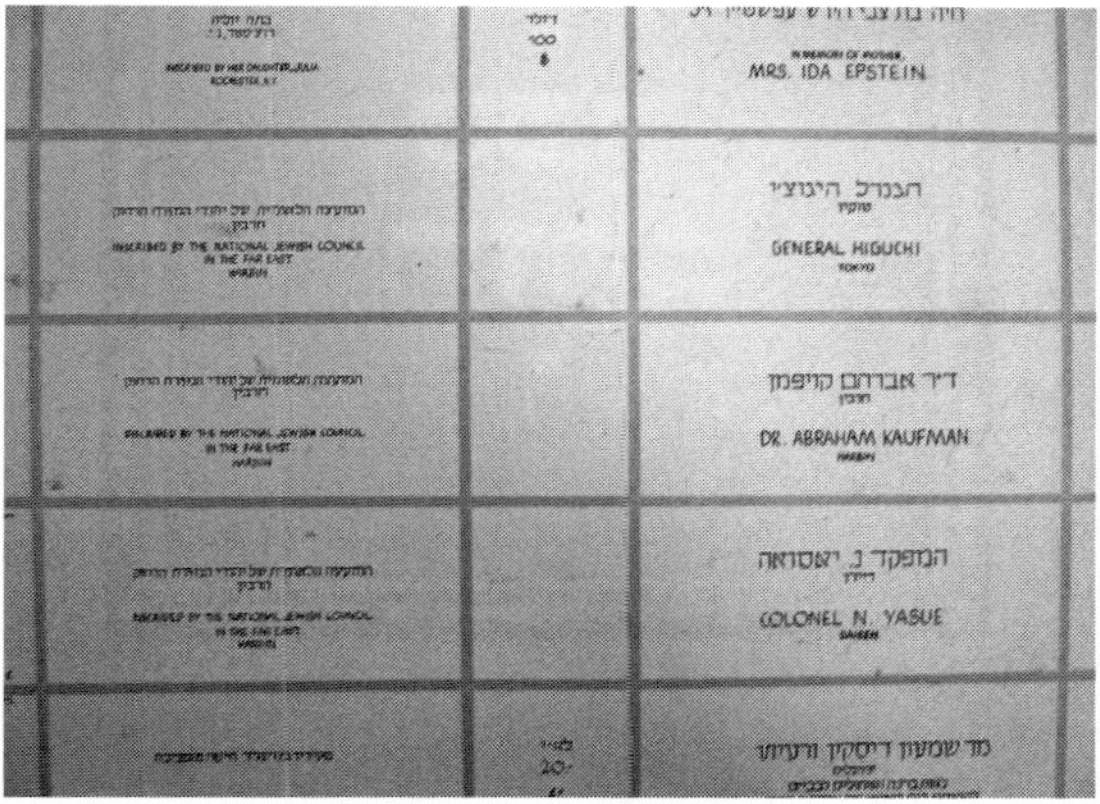

ゴールデンブックの中にある「GENERAL HIGUCHI」の文字

三人の名前の欄には、いずれも献金額が記されていなかった。その代わりに、三人の名前の横には「INSCRIBED BY THE NATIONAL JEWISH COUNCIL IN THE FAR EAST HARBIN」と書かれていた。「ハルビンの極東ユダヤ人協会からの記入」ということになるが、これはどういうことだろうか。エフラットさんが答える。

「この献金名簿には、献金者が自らの名前を記す場合の他に、お世話になった方や恩人の名前で献金を施すケースも少なくありません。ですから、この記録から判断すると、極東ユダヤ人協会が、お世話になった三人の名前で当基金に献金をしたのだと思います。樋口が自ら献金したわけではないようですね。ただ、そうだとしても、なぜ献金額が書かれていないのかはわかりませんが」

日付の欄を見ると、いずれも「一九四一年七月十四日」となっており、これは樋口が最初のビザ発給の決断をしてから約三年後ということになる。この年の六月にドイツ軍がソ連に侵攻したことにより「ヒグチ・ルート」も閉鎖となったと思われるが、その直後に三人を偲ぶ形で行われた「特別記入」のようなものだったと推測できる。

私は樋口の名前の掲載されている頁を写真に収めてから、改めてエフラットさんに聞いた。

「あなたは先程、樋口の名前を知っているとおっしゃいました。どのような人だったと理解していますか？」

エフラットさんは神妙な面持ちで答え始めた。

「ヒグチは多くのユダヤ人を救った恩人です。彼は勇気と親切の気持ちを持っていた偉大な人だと考えています」

「樋口の名前はイスラエルで非常に知られているという話を聞いたことがありますが、それは本当ですか？」

「残念ながら、一般的な知名度という点では決して高くありません。日本人の行った救出劇で有名なのはスギハラの方です」

彼女はそう言って、杉原千畝の名前を口にした。日本の一部の資料には、「樋口はイスラエルで誰でも知っている有名人」「樋口の名前を冠した道路がある」といった記述が存在するが、それも事実とは遠いと言わざるをえない。

ゴールデンブックは確かにこの地に存在し、そこに樋口の名前もあった。しかしそれは、ユダヤ社会における国民栄誉賞のようなものではなく、いわゆる「献金者名簿」であった。そしてその内容も、キリストやアインシュタインに次ぐ二番目、四番目といったものではなく、多くの献金者名の中の一つに過ぎなかった。

それでも、極東ユダヤ人協会が、樋口ら三人に感謝の意を表する形で、彼らの名前で献金を施したことは事実である。

私は本書を通じて、樋口の功績をいたずらに美化したいのでもなければ、貶めたいわけでもない。彼の送った人生遍歴を、事実として淡々と記録したいと考えている。そういった意味において、「ゴールデンブックにまつわる話」も、事実関係の一つの証明としてここに記した。「オトポール事件」のような類いの話は、真実に尾ひれがつきやすい。前述の「二万人論争」もそうだが、事実から一人歩きして「神話化」した部分を丁寧に削ぎ落とした上で、樋口の遺した史実を少しずつ理解していきたい。

それはきっと、樋口も望んでいることであるだろうと私は思う。

アミカーム

イスラエルの中心都市であるテルアビブから列車で北部に一時間弱ほど走るとベンヤミナという名の小さな駅に着く。そこからタクシーで二十分ほど走った所に目的の村はあった。名前をアミカームという。モシャブと呼ばれるユダヤ人入植地の一つだ。村の周囲には、乾いた砂地の所々に緑が点々と散らばり、長閑《のどか》な光景が一面に広がっていた。風の震えに細かな砂が舞う。

この村に住むクララ・シュバルツベルグさん（八十三歳）を訪ねた。

クララさんは一九二六年、ドイツのベルリンに生まれたが、一九三八年の春、イースターが終わった頃に、フランスのマルセイユから船に乗り、大連へと向かった。当時、ベルリンでのユダヤ人迫害は、後の惨事を考えればまだ小規模なもので、クララさんの一家がドイツを旅立ったのも、迫害を逃れるためというよりも、父親の仕事の関係であった。その当時、十二歳だったクララさんは言う。

「私たちは難民ではありません。父の仕事の関係による移住でしたが、ただ大連に行くのに積極的だったのは母の方でした。父は本当はアジアにはあまり行きたくありませんでした。しかし、母の強い勧めで私たちはドイツを出ることになりました。母はとても頭の良い人だったので、ドイツにこれから起きるであろうことを感じていたのかもしれません」

マルセイユからコロンボ、シンガポールを経て、ようやく大連に着いたのは、約一カ月後のことであった。

クララさん一家は、大連で新たな暮らしを始める。大連には日本人の姿が多かった。日本と中国が戦争をしていることはわかっていたが、毎日の生活の中で危険を感じることはなかった。

大連の街はいたって平穏だったという。

そんなある時、クララさんは大連駅に多くのユダヤ人難民が到着した光景を目撃した。

「一九三九年か、四〇年の春だったと思います。ヨーロッパから鉄道で大連まできたというユダヤ人の一団と出会いました。本当は上海へ行きたかったが、船がなく鉄道できたという人たちでした。皆、とても疲れた顔をしていたのを覚えています」

クララ・シュバルツベルグさん

時期やルートから考えると、ヒグチ・ルートを通ってハルビンまで来て、そこから大連に到着した難民だと考えられる。

クララさん一家は、大連で五年ほど暮らした後、一九四三年にハルビンに越した。クララさんはこの地で、後に夫となるベンジャミン・シュバルツベルグと出会う。

ベンジャミンは同じくユダヤ人で、一九二二年、ロシアのイルクーツクに生まれた。この地ではすでにユダヤ人に対する弾圧が激しく、ベンジャミンの一家は国外への脱出を決めた。国境付近で一家が離ればなれになってしまうなどの紆余曲折を経て、一家がようやく辿り着いた先がハルビンだった。一九三〇年頃から、一家はハルビンで暮らし始めた。

クララさんが言う。

「ハルビンには多くのユダヤ人がいましたが、そのコミュニティの中でベンと出会いました。優しい人でした」

そう言って、壁に飾られている数枚の写真を指差した。ベンジャミンは八年前に胃癌でこの世を去っている。写真の中では、お腹まわりのふくよかな、人の良さそうな白髪の老人が、膝に孫を抱いて笑っていた。

クララさんは「ヒグチ」の名前を知らない。しかし、ベンジャミンは生前、その名を知っていた。

ベンジャミンが樋口を初めて知ったのは、一九三七年にハルビンで開催された第一回極東ユダヤ人大会の時だった。この大会については第一章でも触れたが、ベンジャミンはこの大会に出席し、樋口の演説に拍手を送ったユダヤ人の一人であった。

「夫は日本語がとても上手でした。ハルビンでのユダヤ人と日本人の関係は非常に良いものでした」

生前のベンジャミンは、樋口のことを「グレートマン」と評していたという。

ハルビンのユダヤ人は、皆、仲が良かった。その中でも、アブラハム・カウフマンはユダヤ人社会の中心人物であった。ベンジャミンの妹が、カウフマンの息子のテオドル・カウフマンとクラスメートだった。

「アブラハム・カウフマンですか？　私たちはドクトル・カウフマンと呼んでいました。彼は本当に素晴らしい方でした」

クララさんはそう言って、懐かしそうに微笑む。

当時、ハルビンには食べ物も十分にあったし、大連と同様、戦争の臭いはほとんど感じなかったという。

一九四五年、クララさんはハルビンで終戦の報を聞いた。しかし、クララさんの実感としては、あまり深い感慨もなかったという。それほど、戦争を身近に感じていなかった。

ヨーロッパに吹き荒れたホロコーストの嵐の実態についてクララさんが知ったのは、戦後のことである。ホロコーストによる犠牲者は、一般的に約六百万人と言われているが、その数を知ったのも戦争が終わった後のことであった。

クララさんの父方の親類は、難を逃れた人が多かったが、母方の親類は全滅だった。

「全員、殺されました。全員です」

クララさんはそう言って目を伏せる。

一九四九年、クララさんはベンジャミンと正式に結婚。その翌年、イスラエルに移り住んだ。

今では穏やかな農村風景の広がるアミカームだが、当時は皆、テント暮らしだったという。二人はそこから大地を耕し、桃や葡萄などの果物を懸命に育てた。生活は徐々に上向き、一九五二年に家を建てることができた。

今では三人の子ども、九人の孫、四人の曾孫に恵まれている。

ナチスによる迫害を受けた歴史を持つ彼ら民族が、現在、不安定な状勢の続く中東の地において、その中心にいることは、人類史の最大の皮肉と言っていい。

イスラエル建国後の中東状勢について、樋口は語らずに逝った。

テルアビブ

テルアビブ市街に位置するその病院の一室からは、雲一つ浮かんでいない青空が見えた。病室の扉を隔てた廊下からは時折、人々が歩きながら話している声が聞こえてくる。

開け放たれた窓から一陣の風が入り込み、クリーム色のカーテンを小さく揺らした。ベッドの上に横たわっている白髪の老人が、一瞬、目を剝くような表情を浮かべた後、私の顔を覗き込むようにして視線を投げかけた。齢は七十六歳であるという。名前をアロン・ヒルマンといった。

「お身体の調子はいかがですか？」

私の言葉に、老人は咳を一つ返した。

「ヒグチ」と関連性を持つ人物を探す旅が続いていた。オトポール事件から七十年以上を経た現在、実際に「ヒグチ・ビザ」によって満州に逃れることができたユダヤ人難民を探し出すことは困難であった。すべてにおいて、今回の取材は遅きに失していた。

ヒルマン氏も樋口との関連性を有していない。ヒルマン氏は第二次世界大戦勃発前の一九三三年にアメリカで生まれ、大戦終結後に両親と共に建国間もないイスラエルにやってきた。幼少期、日本は敵国であった。

イスラエルの地で新たな生活を始めたヒルマン氏は、教師の道を志し、その夢を叶えた。結婚もし、二人の子どもにも恵まれた。

学校での同僚の中に、ヤコブ・グロスマンという男がいた。グロスマンはヒルマン氏よりも五つ年上であったが、住んでいた家が近かったこともあり、次第に仲良くなった。グロスマンは学校で数学を教えていた。

二人は家族ぐるみの付き合いを続けたが、今から十年ほど前、グロスマンが亡くなったことで二人の交遊関係は終わった。グロスマンが七十一歳の時のことである。グコスマンは既婚だったが、子どもはいなかった。その後、彼の妻も後を追うようにして亡くなった。

「いい奴だった。私たちは本当の友人だった」

ベッドの上のヒルマン氏はそう言って、乾いた唇を一嘗めしてから、私の目を改めて凝視した。

ユダヤ人の宿命とでも言えるのだろうか、グロスマンの生前、二人はお互いのルーツをよく語り合った。ヒルマン氏は言う。

「彼も私も釣りが好きだった。二人でよく釣りに行ったが、そんな時、彼の家族の物語を聞いた。

グロスマンの両親は元々、ドイツにいた。そしてナチスの迫害から逃れるため、国外に脱出することとなった。ナチスについては知っているね？」

頷いた私の様子を見届ける間もなく、ヒルマン氏は少しかすれた声で続けた。

「彼の家族は列車に乗って逃げた。行き先はハルビンだ。グロスマンはハルビンにしばらくいた。私は彼からそう聞いた」

ヒルマン氏はそう言った後、激しく咳き込んだ。肺の病気で入院しているのだという。

「医者がヤブだ。ひどい病院だ」

老人は表情一つ変えずにそう言った。

「樋口という名前を彼から聞いたことはありますか？」

私の問いにヒルマン氏が短く答える。

「知らない。その名前は聞いたことがない」

ヒルマン氏が続ける。

「とにかく君は来るのが遅過ぎた。日本から歩いてきたのか？」

病室に私の漏らした笑い声が小さく響いた。ヒルマン氏は私の反応を気にするまでもない。グロスマンがドイツから列車でハルビンまで来たのであれば、それは「ヒグチ・ルート」を使ったものと考えられる。しかし、ヒルマン氏の記憶によれば、グロスマンは「ヒグチ」の名は口にしていなかったという。

「樋口の名前は確かに話していなかったのですね」

私の再度の確認にヒルマン氏は、

「わからない。話していたかもしれないが、私も多くのことを忘れてしまった。それは当然のことなんだ」

と言った。私の表情に若干の失意の色が浮かんだのだろうか、ヒルマン氏は取りなすようにして言葉を継いだ。

「とにかくグロスマンがハルビンにいたというのは間違いない。彼はよくその話をしていた。そのことはよく覚えている」

グロスマンの家族がヒグチ・ルートを使ったとしても、それを開通させた樋口の名前を知らないのは、当然のことなのかもしれない。

私が考えを巡らせている間、しばらく口を閉じていたヒルマン氏が不意に話し始めた。

「一つ思い出した。ある時、私が『ハルビンにいたのなら中国語が話せるか？』と彼に聞いたことがある。その時、彼はこう言った。『その頃、ハルビンは中国ではない。満州だ。言葉は日本語だ』と。私が『では日本語が話せるのか?』と聞くと彼は一言、こう言ったよ。『ありがとう』と」

年齢を計算すると、グロスマンがハルビンに逃れたのは、十歳頃のことだと思われる。その後、彼がどれくらいの間、ハルビンにいたのかはわからない。ヒルマン氏の記憶によれば、グロスマンはその後、上海へ行ったはずだという。

「ありがとう」

それがグロスマンの口からこぼれた唯一の日本語であった。彼はどのような場面でこの言葉を聞き、そして使っていたのだろう。

グロスマンの家族は、大戦終了後にイスラエルの地にやってきた。グロスマンはいつも優しくて、正義を愛する人物であったという。ヒルマン氏が言う。

「とにかく、私も年を取り過ぎた。他に覚えていることはもうないよ。でも、もうすぐ私もまた彼と会える。その時に、詳しいことを聞いてみよう。それで勘弁してくれないか」

ヒルマン氏のユダヤ人らしい言い回しに、私は思わず微笑した。私はヒルマン氏に、

「ありがとう」

と言った。ヒルマン氏の顔に、初めて笑顔が浮かんだ。

第五章　アッツ島玉砕

参謀本部第二部長

一九三八年（昭和十三年）七月、樋口季一郎は参謀本部第二部長に任命され、ハルビンを去って東京に戻ることとなった。樋口を第二部長に推薦したのは、東條英機であったという説もあるが、真相は定かではない。杉田一次著『情報なき戦争指導』の中には、例えば次のような記述がある。

〈東條陸軍次官の推挙によって第二部長になったと言われているが、彼は東條が関東軍参謀長時代のハルピン機関長であった〉

樋口のハルビンでの生活は結局、約一年間に過ぎなかったが、オトポールの一件を始め、様々な体験をした濃密な滞在であった。そしてこのオトポールでの出来事が、終戦後の樋口の運命をも大きく左右していくことに繋がるのだが、それは後の章に譲ろう。

樋口がハルビンを旅立つ日、駅頭には多くの群衆が集まった。そのほとんどはユダヤ人たちであり、その他には、陰で救出劇を支えた下村信貞らの姿もあった。

ハルビン特務機関長の後任には、古くからの盟友である秦彦三郎が就いた。樋口と秦は東京外国語学校夜間部時代からの友人であり、樋口がワルシャワ滞在時代、二人でコーカサスの視察旅行に赴いたことは先に述べた。

この後任人事は、樋口の強い推薦によるものであった。樋口は以前から、秦の資質を高く評価していた。この秦とは後年、あまりに哀しい再会を果たすことになるのだが、これも後の稿で紹介しよう。

樋口が新たに部長として配属されることとなった参謀本部第二部とは「情報」を扱う部署であり、支那事変に関する処理の促進が主な任務とされた。これに対して第一部は「作戦」を担当するセクションである。

同年秋、樋口は上海や北支那の状況視察の旅に出ている。その際には、かつてヨーロッパで親交を温めた山下奉文や武藤章との再会もあった。北京では、北京臨時政府主席の王克敏を訪ね、歓待を受けている。

樋口がこの第二部長時代に関わった仕事の中に、「汪兆銘工作」がある。これは、日中戦争における中国内の和平派で、蔣介石との対立を深める汪兆銘を通じ、事変を解決して和平を計ろうという試みであった。軍務課長の影佐禎昭らが中心となり、十一月には「中国側の満州国の承認」「日本軍の二年以内の撤兵」などを内容とする「日華協議記録」を調印するに至った。十二月、汪は重慶を脱出し、ハノイに到着。翌一九三九年（昭和十四年）三月、国民党の刺客に襲われた汪は、日本側の意向もあってハノイを離れ、その後は上海に拠点を移した。

上海に移って間もなく、汪は日本を訪れているが、この時には樋口も汪兆銘と会っている。樋口は汪が匿《かくま》われていた滝野川の古川男爵邸を訪問した。

〈汪到着の翌日、私は臼井課長同伴、滝野川に彼を訪問し、「遠路しかも困難なる旅行の苦労を慰め、暫く静養然るべし」と述べたのであった。汪は色白く、竜顔、長者の風があり、堂々一国宰相の風があった〉

（『回想録』）

結局、汪兆銘はその後も新政府樹立に向けて邁進していく。

樋口が汪兆銘工作に力を注いでいたその時期、樋口の盟友である石原莞爾は、日中戦争に関し、参謀本部内で「不拡大主義」を主張するなどして東條英機と激しく対立。軍部内で「軟弱派」と誹《そし》られることの多くなった石原は、左遷とも言える人事の憂き目に遭っていた。石原はその後、歴史の表舞台から名前を消していくことになる。

三国同盟締結

一九三九年（昭和十四年）五月には、ノモンハン事件（ソ連側の呼称はハルヒン・ゴール会戦）が勃発している。日本陸軍は、ソ連軍の強力な兵器の前に、苦戦を重ねた。

世界史に目を転じれば、同年八月二十三日に、モスクワにて独ソ不可侵条約が締結されている。ソ連を牽制する意味で、すでにドイツと防共協定を締結していた日本としては、ドイツのこの「背信行為」に激しく動揺した。当時の平沼騏一郎内閣は、「欧州の天地は複雑怪奇」という声明と共に同月二十八日、総辞職した。

続く九月一日には、ドイツがポーランドに侵攻。第二次世界大戦の始まりである。

十月一日、樋口は陸軍中将に昇進。続く十二月一日付で、金沢第九師団師団長に転補となった。結局、樋口が尽力した汪兆銘政府樹立に向けた動きは、樋口が第二部長職を離れた後の一九四〇年（昭和十五年）三月、新政府（南京国民政府）が設立されることで一つの結実を見ることとなる。しかし、当初の目的のように、重慶（蔣介石）政府との和平は実現せず、日中の戦争状態は終わらなかった。

一九四〇年九月には、後の世界史の潮流を決定づけていくことになる日独伊三国軍事同盟が成立。国際情勢は目まぐるしく変化していたが、日本もその中心にいた。

この三国同盟の締結をもって、日本での「ユダヤ人利用論」は急速に勢いを失った。ユダヤ人を仲介役とした対米英関係の修復という可能性が、ほぼ実現不可能となったためである。同年十二月に大連で開催される予定だった第四回極東ユダヤ人大会も中止となった。

そんな中で同年十月、樋口率いる第九師団は、満州防衛の第一線に立つために渡満。第九師団は第三軍の隷下となり、牡丹江《ぼたんこう》に駐屯した。

翌一九四一年（昭和十六年）六月二十二日には、独ソ不可侵条約を結んでいたドイツが、条約を破棄してソ連に侵攻。この動きを受けて、三国同盟を結んでいた日本では、ドイツの攻勢に呼応する形での対ソ戦論が盛り上がりを見せた。

真珠湾攻撃

一九四一年（昭和十六年）十二月八日、日本軍の真珠湾攻撃により、大東亜戦争（太平洋戦争）が始まった。指揮を執ったのは、樋口と交流の浅からぬ南雲忠一である。

防衛省防衛研究所の史料閲覧室内に、樋口が記した「大東亜戦争に関する感想」と題された冊子が保管されていた。書かれたのは戦後の一九五四年（昭和二十九年）十一月二十一日であるが、この中に、真珠湾攻撃を知った際の樋口の心境が記された文章がある。

〈昭和十六年暮、私（第九師団長として満州牡丹江に駐屯して居た）は兵団長会同を終へ東支東線上を帰任の旅を続けて居た。

此時突如として飛報あり、日本海軍が真珠湾を爆撃し何隻かの戦艦を沈没せしめたと云ふのである。「とうとうやつたか」と云ふので同車した兵団長と共に万才を三唱し、乾杯したのである。それは一種昂奮の結果である。

同日夕私の官舎に帰り夕食をとつたが、何とも食事が不味く、酒も快適に喉を通過しない。私は自らの小卓に傍《よ》つて、戦争の将来を考へて見た〉

日中戦争はすでに長期化していたが、新たにアメリカ、イギリス、オランダとも戦端を開くことになり、日本を取り巻く戦況は、一層不透明なものとなった。

樋口という一軍人の運命も、この開戦と共に、新たなる方向へと導かれていく。それは腸《はらわた》がちぎれるほどの悲劇への第一歩であった。

北部軍司令官に着任

アッツ島、キスカ島は、アリューシャン列島の西の端に位置する。気候は一年を通じて厳しく、雪と氷に覆われた孤島である。一九四二年(昭和十七年)六月、この二つの小島を占領することに成功した日本軍だったが、総体的な戦況は徐々に悪化していた。

同年八月、かつてハルビンの地においてユダヤ人救出に尽力した樋口季一郎は、第九師団長として満州に移駐した後、札幌にいた。

八月六日、樋口は北部軍司令官としてこの地に着任。札幌市郊外の月寒にある北部軍司令部

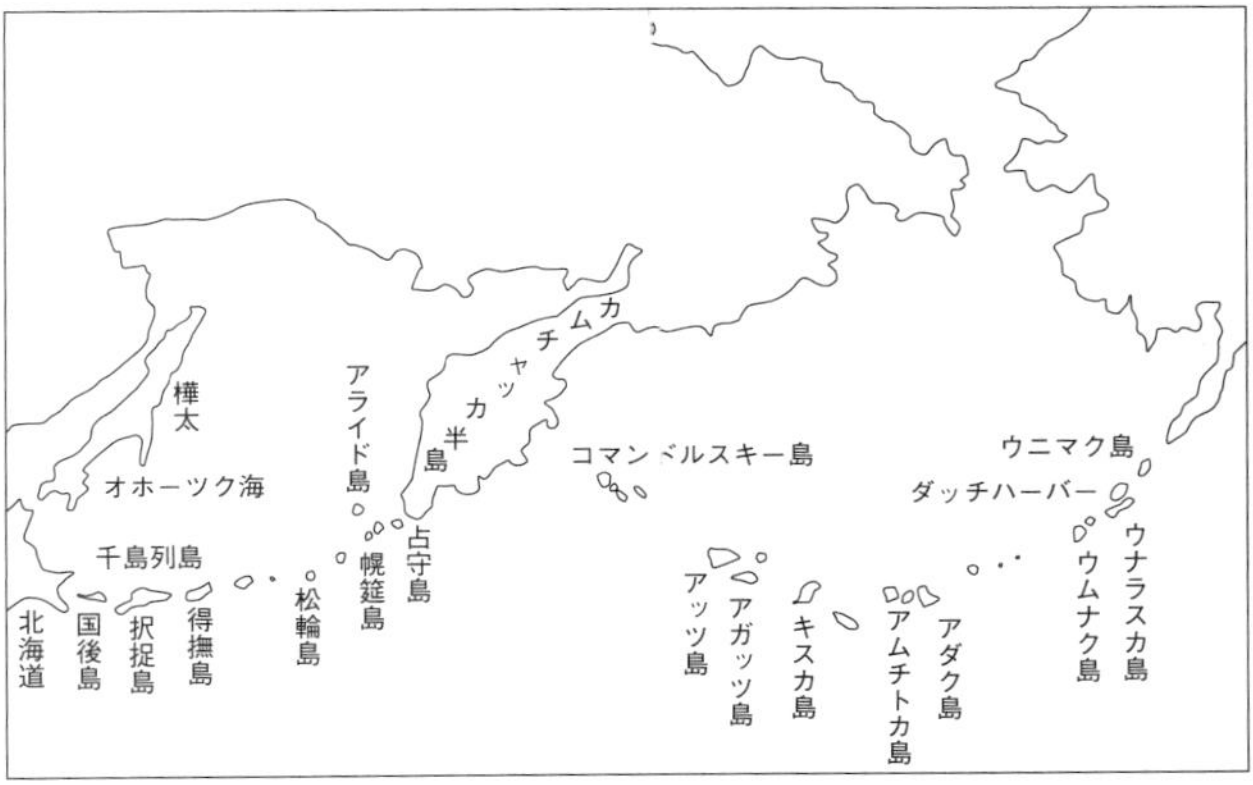

北太平洋地域略図

で、指揮を執り始めていた。札幌赴任に際して、妻の静子は同行したが、子どもたちは学業のこともあり、東京に残った。

これまで樋口が戦後に記した『回想録』を一つの軸としてしばしば引用してきたが、この『回想録』ではアッツ島、キスカ島の事柄には、ほとんど触れていない。樋口の軍人生涯において、最も栄職であるはずの札幌時代であるが、『回想録』執筆中、樋口はすでに七十歳に近い高齢であり、後半に近づくにつれて筆が鈍くなっていったことが文体から読み取れる。さらに、後に経験することになるアッツ島玉砕に関して、樋口自身があまり口を開きたくなかったという気持ちの表れであったとも理解することができる。

『回想録』の代わりに、重要な資料となってくるのが、一九六四年（昭和三十九年）頃、戦史の編纂を始めた防衛庁戦史室が、北方方面の資料作成のために樋口に協力を求め、樋口がこれに応じる形で書き記した往復書翰（以下『書翰』）である。これは、元第五方面軍参謀の山崎祐至一佐が質問事項を作成して送り、樋口がこれに答えて記したものである。樋口は当時、すでに体力の衰えが顕著であったが、このやり取りは複数回に及んだ。樋口はその都度、誠実に返信し、短いながらも精緻な回答を残している。

これによれば、樋口は札幌への転補のことをこう記している。

〈翌十七年八月（コレヨリ少シ前、山下ガ満州ニ着任シタ）、不肖ハ北部軍司令官ニ補セラレ、牡丹江ヨリ札幌市ニ赴任シタ。島谷正輔中尉ガ、東京カラ随行シタ〉

（『書翰』昭和三十九年七月七日付）

引用中の「山下」とは、山下奉文のことを指す。山下は一九四二年（昭和十七年）七月に、シンガポールから満州の牡丹江へ転任となっていた。

アッツ島の戦備

札幌赴任直後の樋口を悩ませたのは、アッツ、キスカ両島に対する物資の輸送が十分に行われていないことであった。食糧の補給もままならない状況が続いていることに樋口は驚いたが、海軍当局は船舶の不足を理由に、物資の輸送に対して消極的であった。

また、樋口の赴任当時、この二島は大本営の直轄下にあった。よって樋口率いる北部軍は、両島の補給を担当するのみで、作戦自体には干与できない状況にあった。

当時、アッツ島には、穂積松年少佐（陸士三十七期）率いる支隊千百四十三名が島の防衛にあたっていた。この支隊をもう少し詳しく紹介すると、歩兵一個大隊（三個中隊編成）、機関銃一個中隊、歩兵砲一個大隊、独立工兵一個中隊という編成である。一方、その隣のキスカ島に駐留していたのは、舞鶴の海軍陸戦隊が約六百名、陣地設営の軍夫が約二千三百名であった。

そもそも、この二島が日本軍の勢力下にあるのは、ミッドウェー作戦と同時に行われたアッツ島、キスカ島攻略戦の成功によるものだが、この北方の小島の占領を企図したのには、大きく三つの意味合いがあった。一つ目は、米ソの連絡遮断、二つ目は、米軍の北方からの侵攻を阻止するための拠点の確保、そして三つ目は、日ソ開戦時にカムチャッカ半島攻略の基地とするためである。

こういった目的で占領した二島だったが、その守備隊に対して十分な物資も送れないのが、当時の日本の国力であった。島の周囲の制空権、制海権を奪われている日本軍は、潜水艦による細々とした補給を行うのが精一杯であった。

そもそも、島の確保に必要な兵力自体が、絶対的に不足していることは明らかであった。米軍が戦力を整えて攻め入ってくれば、この程度の駐留部隊では食い止めることができない。

戦後の価値観で大本営を「悪役」とするのは容易《たやす》い。しかし、彼らは彼らなりに、少ない駒の割当に誰よりも苦心していた。当時、米軍はソロモン海方面への反攻作戦に兵力を集中し始め、大本営はその防衛作戦に全力を傾注せざるをえなかった。海軍の輸送船の消耗が激しかったのも事実である。

アッツ島、キスカ島に対する増援部隊の派遣も一旦は決まったが、結局、見送られていた。戦争が長期化することによって、日米の戦力差は残酷なほどに明らかとなってきていたのである。

そして、そのしわ寄せは、最前線の兵士たちへと波及していく。

戦備の調査

一九四二年八月二十七日には樋口自ら、北千島への第一線にまで視察に赴いている。幌筵《ぱらむしる》島、占守《しゆむしゆ》島などを巡り、陣地構築の進展具合や、将兵たちの士気や疲労などをつぶさに確認した。

占守島での視察の際には、一つの出会いがあった。

米川浩中佐は、陸士三十一期で、中国河北省の戦闘で戦果を上げ、金鵄勲章を賜るなど、有能な軍人として評価の高い人物であった。守備隊長として北千島に転属されてからは、峻烈な寒冷地に耐えうる野菜づくりにも力を傾注し、この地での現地自活に道筋をつけるなど、自らの任務に誠実にあたっていた。

樋口はこの米川と共に陣地背後にそびえる山に登り、地形の偵察を行った。その際、頂上付近で疲れ切った米川は、樋口に対し、

「閣下、お手を貸してください」

と懇願した。樋口は苦笑して米川に手を差し伸べたが、樋口はその時、米川の素朴で真面目な人柄を好ましく思ったという。


九月、駆逐艦「若葉」が小樽港からキスカ島へ向けて出航した。この「北方調査団」の目的は、両島に関する戦況の新たな調査であり、その結果を分析した上で、大本営は兵力の増強か、もしくは撤退かを決定する運びであった。

「北方調査団」は十月に無事に帰還した。樋口はこの調査報告を丁寧に読み込んだが、改めて明らかとなったのは、米軍が両島の奪還に向けて兵力を強化しているという現実であった。すでに米軍の航空部隊による爆撃や、巡洋艦や駆逐艦による艦砲射撃などが断続的に開始され、本格的な上陸作戦がいつ始まってもおかしくないという警告を帯びた報告内容であった。

この調査結果は、現在の歴史資料から見ても的を射ている。実際、アラスカの西部防衛司令官ジョン・デヴィッド中将は、アッツ、キスカ両島の奪還作戦を国防総省に強く主張し、そのための準備を着々と進めていたのである。

「北方調査団」の集めた情報は、大本営へと報告された。統帥部はこの時点においてようやく

両島の確保に注意を払う姿勢を見せた。両島は大本営直轄から北部軍の指揮下へと移ったが、これは樋口の進言を受け入れる形で実現したものであった。

大本営は、アッツ島に駐留していた穂積支隊をキスカ島に転進させ、代わりに北千島にいた「お手を貸してください」の米川浩中佐の部隊をアッツ島へと移駐させた。

結果から言えば、穂積支隊はこの転進によって、玉砕を免れたことになる。その逆の構図となったのが、米川部隊であった。

北方軍に改組

樋口は両島の確保には最低でも約一万五千の兵力が必要だと考えていたが、現状は理想に遠く及ばない兵力であった。米軍の圧倒的な物量を前に、防衛のための兵力は依然として十分なものとは言いがたかったのである。特に航空戦力に関しては、南方がすでに主戦場となっていた影響で、ほとんど回してもらうことができなかった。樋口の最大の心配事は、この点であった。

一九四三年（昭和十八年）二月十一日、北部軍は名称を北方軍に改められた。大本営は「飽く迄も西部アリューシャン列島を確保す」「北方軍司令官（著者注・旧北部軍）に対し、海軍と協同して西部アリューシャン方面確保の任務を与う」「又今後情勢の推移に応ずる為、カムチャッカ及び樺太方面に於ける対ソ作戦準備をも命ず」（『大東亜戦争全史』）とし、アリューシャン列島が改めて樋口の全指揮下に入った。

兵力は主にアッツ島よりもキスカ島に重点的に配備された。海軍側が、「米軍の上陸作戦は、米軍の前進基地に近いキスカ島から始まる」と予測していたからである。

これに対し、樋口は「米軍の上陸作戦はアッツ島からではないか」と考えていた。キスカ島を飛び越える形でアッツ島をまず落とせば、キスカ島は完全に孤立する。さらにアッツ島の陣地構築には遅れが見られる。樋口はこれらの観点から、アッツ島に兵力の重点を移すことを主張した。海軍側は当初、キスカ島重点主義を譲らなかったが、米軍の偵察と思われる潜水艦や巡洋艦がアッツ島の周辺海域に姿を現し始めたことを確認した上で、樋口の執拗な進言を最後には受け入れた。こうして、アッツ島への兵力、物資の輸送が始められた。

一方の米軍も、上陸作戦に向けた準備を入念に進めていた。上陸作戦を担う歩兵第七師団は、カリフォルニア州の峡谷を舞台に、特殊訓練に明け暮れていた。アッツ島に山岳地帯が多いためである。さらに、アッツ、キスカ両島の厳しい気候を想定し、アラスカ防備軍の将校が指導にあたった。米軍も楽な戦争をしていたわけではない。両国とも必死であった。

米軍の当初の攻撃目標は、キスカ島であったが、その後にアッツ島へと変更となった。アッツ島の方が、守備力が脆弱だと判断したためである。つまり、樋口の読み通りであった。

しかし、樋口の予測は当たったものの、実際には日本側の第一歩目がキスカ島重点主義であった影響はすでに大きく、アッツ島への兵力、物資の輸送は決定的に遅れをとっていた。これは少しの判断ミスが勝敗を大きく分ける戦場において、すでに致命的だったのである。

山崎保代大佐

三月になると旭川駐屯の第七師団から抽出された混成旅団をアッツ、キスカ両島へ輸送することが企図されたが、米軍の航空機や潜水艦の攻撃により、思うように展開できなかった。

そのような戦況下で、新たにアッツ島の守備隊長となったのが山崎保代大佐である。山崎は陸士二十五期で、山梨県出身。アッツ島に赴任する前は、越後高田の歩兵連隊長をしていた。

アッツ島へ赴く途中、山崎は樋口のいる北方軍司令部に立ち寄った。山崎はすでに自分の向かう先が帰還の困難な地であることを十分に知っている。山崎は越後高田を出る際に、妻に遺書を書き残していた。四人いた子どもたちに対しても、惜別の手紙をしたためての出発であった。

樋口も、そんな山崎の覚悟を察している。二人は短い挨拶の後、作戦に関する意見を交換し合った。

軍司令部での議論の後、樋口は司令部と併設されている自宅の官舎に山崎を呼び、夕食を共にした。樋口の妻である静子が、食糧不足の中、苦労して鯛を用意し、赤飯を炊いたという。

四月十八日、山崎大佐の乗船した「浅香丸」は、爆撃と魚雷攻撃の危険に脅かされながら、無事にアッツ島に到着した。この同日、南方のソロモン諸島に位置するブーゲンビル島では、山本五十六海軍大将の乗った一式陸上攻撃機が撃墜され、山本が戦死している。山本の死はその後、一カ月以上も秘匿とされた。日本を取り巻く戦況は、深刻さの度合いを増していた。

アッツ島に着任した山崎は早速、現地の情報収集を開始した。

この時期、アッツ島はすでに米軍から激しい空襲を受けている。上陸作戦がいつ始まるか知れない状況下で、一日も早い防御陣地の充実が待たれたが、資材の不足も重なって、工事は予定よりもかなり遅れていた。ブルドーザーやトラックも十分にない状況下、凍土に対する手作業での土木作業により、多くの兵士がひどい凍傷に悩まされた。

さらに、海軍から飛行場の建設を強く要請されていたため、こちらに労力を割かれる形となり、これがさらなる防御陣地構築の遅延へと繋がる要因となった。個人壕はそれなりにできあがっていても、実際の戦闘中に重要な役目を担う交通壕は、ほとんど未完成という状態であった。樋口自身も、防御陣地の構築か、それとも飛行場の建設か、どちらに重点を置くべきかで迷う日々であった。

どちらにしても、兵力も物資も決定的に足りていないことは明白であった。制海権を奪われた中で補給も十分に行えず、食糧事情は悪化の一途を辿り、兵士たちはお湯の中に米粒がわずかに浮いているような食事しか摂ることができなくなっていた。

日本海軍は米軍の上陸作戦が始まる前に、アッツ島に戦闘機隊を派遣することを一時は決めていた。しかし、この計画も実現することはなかった。海軍の決定が揺らいでいる間に、上陸作戦が始まったのである。

アッツ島上陸作戦の開始

札幌の街に遅い春の訪れを告げるのは、樋口がかつて暮らしたハルビンと同じ花であった。札幌のリラは、散り急ぐ桜の花びらを尻目に、徐々に蕾を膨らませていく。かつて樋口が暮らしたハルビンでは、春になると町中がこの花の芳香に包まれたが、それはこの街も同様であった。

しかし、札幌の官舎に缶詰めとなっている樋口には、この花の美しさと香りを愛でる余裕はすでに失われていた。

迎えた五月十二日、米軍は満を持してアッツ島上陸作戦を開始した。米軍がキスカ島ではなくアッツ島に上陸を始めたことは、樋口の読み通りであったが、上陸時期に関して言えば、樋口は六月頃と予測しており、これは彼の失策と言える。結局、防御陣地の構築は半ばという状態であった。

上陸部隊である歩兵第七師団の兵力は、実に一万を超えていた。これに対する日本側防衛部隊の総兵力は約二千六百名。日本側は、「島嶼《とうしょ》防衛方式」を採った。俗に言う水際作戦である。敵の上陸時に攻撃を集中し、上陸部隊の撃滅を図った。

樋口は札幌月寒の北方軍司令部で、現地からの情報を待っている。

同日午前十時頃、約三十隻からなる米軍艦隊からの艦砲射撃で戦闘は始まった。同時に、米軍自慢の重爆撃機による空爆が始まり、十分とは言えない日本軍の防御陣地が損害を受けた。日本軍からの反撃はまだない。

その後、艦砲射撃がやみ、数十隻の上陸用船艇が、海岸線に向かって接近してきた。主な上陸地点となったのは、島南部のマサッカル湾正面、マサッカル湾南部、島東部のサラナ湾、島北部のホルツ湾の四カ所である。日本軍守備隊は敵の上陸部隊に対し、ここで一気に反撃を開始。少ない山砲や野砲で奮闘した。『戦史叢書』によれば、午後一時、海軍第五十一根拠地隊熱田（著者注・アッツ）分遣隊は、次のような緊急電を発している。

〈一　一〇〇〇敵北海湾西浦岬西北方海岸ニ上陸中　又別ニ一二〇〇頃ヨリ約二〇ノ舟艇ヲ以テ旭湾ニモ上陸中ナリ

二　地区隊ハ敵上陸半途中に乗シ之ヲ攻撃中ナリ〉

（『北東方面陸軍作戦〈1〉アッツの玉砕』）

この緊急電を受けた樋口は、逆上陸部隊をもって反攻することを企図し、約四千七百名の兵力を緊急輸送する準備を行った。大本営も、海軍の増援部隊の派遣を決めた上で、敵上陸部隊を挟撃、殲滅することを命令した。

その間も、兵力に優る米軍は、次々と上陸。山岳訓練を重ねた精鋭部隊が、日本側の裏をかく形で、断崖絶壁からも上陸を試み、成功を収めた。

上陸した米軍部隊は、間髪入れずにブルドーザーを揚陸させ、即座に軍用道路の造成に取りかかった。その後、道の完成と共に重砲用の牽引車が陸揚げされ、重砲を戦場に投入することに成功した。航空兵力のない日本軍は、戦いが後手後手に回らざるをえなかった。

この間、樋口のいる月寒の北方軍司令部には、現地の情報がキスカ島経由で次々と入電されていた。

哀しき再会

上陸作戦二日目となる十三日も、米軍の激しい攻撃が続いた。それでも日本軍は、闇と霧に乗ずる形で夜襲を仕掛けるなど、米軍に激しい抵抗を試みた。その結果、一部の上陸部隊は、後退を余儀なくされた。日本軍の鬼気迫る攻撃は、米軍の想像を遥かに上回り、上陸部隊は日本側の激烈な戦い方に驚きと恐怖を覚えた。

そんな中で迎えた十四日早朝、戦火の中にいる山崎保代守備隊長のもとに樋口からの電文が届く。

〈貴部隊ノ勇戦奮闘ニ敬意ヲ表ス　軍ハ新ニ同方面ニ有力ナル部隊ヲ以テ上陸セル敵ヲ撃滅スヘク着々準備ヲ進メツツアリ　本企図ノ遂行ノ如何ハ懸リテ貴隊ノ要地確保ニ在リ　此ノ上共切ニ善戦ヲ祈ル〉

増援を告げるこの電報により、山崎以下現地軍の士気は一気に上がった。

十六日、樋口は山崎に対し「持久」を命じている。「決戦」に打って出るのではなく、増援軍の到着を待てということである。

さらに、樋口が命じたのは、「東浦沿岸用地の確保」であった。この地域には、ほぼ建設を終えていた飛行場があり、この滑走路を増援軍に活用させ、反転攻勢に出ようという作戦である。

増援が来ることを知った兵士たちは、持久戦態勢の確立のために寡兵をもって尽力し、米軍の進攻に対して激しく抵抗した。

しかし、樋口の意図も空しく、東浦沿岸用地は敵の猛攻のために放棄せざるをえなかった。米軍は兵員を的確に補充しながら前進した。

樋口は北方軍司令部を札幌の月寒から、より前線に近い幌筵島に進める準備をした。

二十日、そんな樋口に、大本営から驚くべき緊急電報が入る。

その内容とは「アッツ島への増援を都合により放棄する」というものであった。その意味する所は、増援を信じて戦っているアッツ島守備隊の放棄である。

艦船を送ることがない以上、島内の守備隊は撤収することもできず、事実上の「見殺し」であった。大本営ではこの日の二日前にあたる十八日に「西部アリューシャンの放棄」をすでに協議していたが、樋口にはこの日まで知らされなかった。そして飛電は二十日になってようやく樋口のもとに届けられたのである。大本営は合わせて、「詳細は明日、参謀次長が貴地に赴いて指示をする」という。

樋口は同日中にアッツ島の山崎部隊へ電信を送らなければならなかった。

〈中央統帥部の決定にて、本官の切望救援作戦は現下の情勢では、実行不可能なりとの結論に達せり。本官の力およばざることははなはだ遺憾にたえず、深く謝意を表すものなり〉

これに対する山崎大佐からの返電が北方軍司令部に届いた。以下、少し長いが引用したい。

〈戦さする身、生死はもとより問題ではない。守地よりの撤退、将兵の望むところではない。戦局全般のため、重要拠点たるこの島を、力およばずして敵手に委ねるにいたるとすれば、罪は万死に値すべし。今後、戦闘方針を持久より決戦に転換し、なし得る限りの損害を敵に与え、九牛の一毛ながら、戦争遂行に寄与せんとす。なお爾後、報告は、戦況より敵の戦法、及びこれが対策に重点をおく。もし将来、この種の戦闘の教訓として、いささかでもお役に立てば、望外の幸である。その期いたらば、将兵全員一丸となって死地につき、霊魂は永く祖国を守ることを信ず〉

約束を反故にされたことに対する愚痴一つなく、そればかりか、自らを責め、将来の戦争の行方を案じる心境が綴られている。

現地守備隊では、増援が来ないことが伝わった途端、それまで負傷や疲労、飢餓の限界に耐えていた者たちが、次々と息絶えていったとも伝えられている。

翌二十一日、大本営から参謀次長が説明にやってきた。

その人物とは、樋口の古くからの盟友であった秦彦三郎その人である。二人が東京外国語学校夜間部時代から親交があり、樋口がワルシャワに赴任していた時にはコーカサスを二人で巡ったこと、そして、その後に樋口が直々に秦をハルビン特務機関長の後任に推したことは、これまでに述べた。秦は樋口のことを、親しみを込めて「兄貴」と呼んでいた。その秦が、増援の放棄を伝える使者として、大本営からやってきた。秦はこの当時、参謀次長の他に、兵站総監も兼務していた。

もちろん、秦自身が増援の放棄を決定したわけではない。あくまでも、職務として、上層部の決定事項を現場に伝えにきたのである。そんなことは樋口も十分わかっている。厳粛な空気が張りつめる中、秦の口から増援作戦の破棄に至った理由と経緯が正式に説明された。南太平洋方面の兵力の消耗があまりに激しく、海軍側としては北方に艦隊や航空兵力を割くことは、どうしてもできないという。

確かにこの時期、ソロモン諸島などでは激戦が続いている。

もちろん、だからといって、樋口とすれば大本営の決定は簡単に呑める話ではない。増援部隊に一縷《いちる》の望みを託して死闘を繰り広げてきた山崎部隊のことを思えば、深い懊悩と慚愧の念に耐えなかったであろう。しかし、樋口は一官吏であるに過ぎず、であるならば、上からの決定事項に対し、抗す術は存在しなかった。

人は、自らの無力さを嘆く時ほど、人生においてつらいことはないであろう。樋口の記した私家版の『遺稿集』の中には、次のような文章が見られる。

〈参謀次長秦彦三郎中将来道し、現在海軍艦艇の実状上、北方軍の作戦企図を実施せしめ能わざる理由を縷々説明し、奉勅命令を伝達するのであつた。それは軍中央部としては、何等適策を講じ得ないということに帰する。私は落涙、この「断」に随従する外なかつた〉

淡々とした記述だが、筆調の底に樋口の斬られるような苦衷を感じさせる。かつてオトポールの地において、自らの地位を危うくしてまで、目の前の人々の命を救う決断を下した人物が、今度は自らの名において、自分を信じて戦っている人々の命を見殺しにしなければならなくなった。

樋口は涙を流して、その命令を受け入れた。その場で号泣したとも伝えられている。

秦も同様につらかったであろう。目の前の奇縁に触れ、慟哭したい思いは、二人とも同じだったのではないだろうか。

「戦争の最大の被害者は、無名の下級兵士や、女性や子どもを含めた民間人である」という言い方は、それ自体、間違っていない。「実際の最前線の戦場で肉片と散ったり、餓死した兵士たちの悲哀は、高級軍人にはわからない」という言い方も確かにできる。

しかし、多くの人々の生命を預かり、自らの名において決断をしなければならない立場にある人間の苦悩というのも、また十分に語られるべき歴史の一要素である。もちろん「どちらが不幸であったか」といった安易な二元論で扱われるべき話ではないことは自明である。

「増援の放棄」を呑んだ樋口がその場で為したのは、ただ首を縦に振ることだけではなかった。樋口は命令に頷くと共に、具体的な交換条件を出したのである。ここに単なるヒューマニストではない、リアリストとしての樋口の横顔を垣間みることができる。

樋口はアッツ島の放棄を承諾する代わりに、キスカ島の即時撤退を認めてほしいと迫ったのであった。アッツ島が落ちれば、次はキスカ島である。増援の見込めない中で、現存の兵力で防衛戦を戦っても、いたずらに犠牲者を増やすばかりである。

キスカ島からの撤退に関しては、すでに大本営でも議論がなされていた。「アッツ島放棄」が協議された五月十八日の場では「キスカ島撤退」も合わせて議論されており、ほぼ結論に達している。そんな状況下における現地の樋口からの進言であった。

樋口は『書翰』の中で、この時の模様を次のように書き留めている。

〈私はそこで一個の条件を出した。それは「キスカ撤収に海軍が無条件の協力を約束するならば」と云うにあった。
次長は長距離電話で中央部と協議の末、私の条件を受理した。そこで私は山崎支隊を見殺しにすることを了承せざるを得なかったのであった〉
（『書翰』昭和四十年一月二十六日付）

引用文中の次長とは、秦彦三郎のことである。

戦後の一部の資料には、キスカ島撤退が樋口からの発案のように書かれたものも見受けられるが、他の関係資料から経緯を整理すると、前述の通り、五月十八日の大本営における協議の場ですでに「キスカ島撤退」は積極的に議論されており、そういった意味において、この作戦の発案者が樋口だとは言いがたい。樋口は海軍側の協力を確認した上で、作戦の実行を陸軍の北方軍司令官の立場から是と進言し、正式な決定への後押しをしたと考えるのが自然である。

二十一日、海軍はキスカ島の撤退作戦を正式に承認した。

アッツ島玉砕

五月二十五日、樋口は参謀らと共に幌筵島に向かった。

山崎はその後も現地から詳細な情報を打電してきていたが、五月二十九日、この日が山崎部隊からの最後の打電となった。訣別の電報には「従来の懇情を深謝すると共に閣下の健勝を祈念す」との言葉があった。

残存の将兵たちは、食糧もほとんど尽きた中で一カ所に集結。その数は二百名を割っていたと言われている。戦闘開始前に約二千六百名いた将兵たちは、この時点で一割以下にまで減っていた。

山崎は最後の打電を済ませた後、決死の突撃を敢行した。

この最後の肉弾突撃において、山崎部隊長は敵の銃弾を複数受けて戦死した。斃《たお》れたのはエンジニア・ヒルのクレヴシイ峠という場所であったという。

突撃を敢行した部隊の中には、これ以上の抵抗が無駄と認めるや、自らの手榴弾で死を選んだ兵隊たちも少なくなかった。

これが、大東亜戦争史に残るアッツ島玉砕である。

玉砕戦という言葉が初めて冠されたのが、この戦闘であった。以後、玉砕という言葉は、日本国内において頻繁に使われていくことになるが、樋口は「最初の玉砕戦の司令官」という汚名を背負うこととなった。アッツ島の戦いは、日本を取り巻く風向きが、目に見える形で敗戦へと直結していった一つの象徴的な戦闘であったと言える。

この戦闘における日本側の戦死者数は、二千六百三十八名（海軍百一名を含む）。米軍の捕虜となって戦後に帰国できたのは、わずか二十七名（二十八名、二十九名など諸説有）のみであり、生存率は実に約一パーセントであった。

月寒訪問

アッツ島玉砕のニュースは、新聞、ラジオによって広く国民の知るところとなった。日本軍における初めての玉砕という報せは、国民に大きな衝撃として受け止められた。五月三十一日付『朝日新聞』には「アッツ島に皇軍の神髄を発揮」の見出しが躍り、「一兵も増援求めず」という言葉で戦闘を報じた。大本営が増援を反故にした経緯については触れられなかったのである。戦前には自由主義的な紙面に誇りを持ち、時には軍部の批判も辞さなかった『朝日新聞』であったが、この時期にはすでに大本営のプロパガンダ機関へと成り果てている。もちろん、これは『朝日新聞』だけに限ったことではなく、健全な報道の喪失が、国家の迷走に拍車をかけた。その後もアッツ島の戦いは、戦時中を通じて、国民の戦意高揚に利用されていく。

樋口の三女である不二子さんは、東京でアッツ島玉砕のニュースを知った。不二子さんは当時、学徒動員により工場で働いていた。

「大変なことになったなあと思ったことは覚えています。しかし、その玉砕と父がどう関係しているのか、つまり、玉砕した人たちが父の部下だったということは、あまり理解できていなかったようにも思います」

北部軍司令官官邸跡

樋口が執務を行った札幌郊外の司令官官邸は、現在、「つきさっぷ郷土資料館」として維持されている。

一九四一年（昭和十六年）に北部軍司令官官邸として建てられ、樋口も執務室として使用した洋館部は、今も当時のままの姿で保存されている。

かつては、洋館部の背後に木造平屋の和館があり、樋口はここで寝起きしていたが、こちらは現存していない。山崎保代がアッツ島に向かう前夜、樋口が彼をもてなしたのは、この和館部だと思われる。北部軍防空作戦室も、今はもう残っていない。

残存する洋館部は、重厚感のある煉瓦造りの二階建てで、建物の保存状態は良く、樋口が執務を行った当時の雰囲気を静かに偲ばせる。玄関土間には色鮮やかなタイルが、幾何学模様に敷き詰められている。窓はすべて二重窓のしつらえとなっている。

現在、この洋館部は郷土資料室として一般公開され、室内にはこの地域にまつわる多くの展示品が陳列されている。その展示物は戦時中のものに限らないが、元司令官官邸という場所柄、やはり先の大戦に関連するものが多い。

二階には樋口を模したマネキンが置かれている。資料館の初代館長で、現在は相談役である武田一郎氏に話を聞いた。

「このマネキンは京都の業者に特注で頼んで作っていただきました。本当はもっと昔から作りたかったのですが、二〇〇七年にようやく完成させることができました。写真から顔を似せ、体格もほぼ等身大になっています。そして、人形が着ている軍服は、樋口季一郎が実際に着用していたものです」

軍服の保存状態は悪くないが、かつて無数の勲章がぶらさがっていた胸元には、ほどけた縫い糸が付着しているだけであった。戦争が終わった際、樋口自らそっと勲章を取り外したのだという。それが樋口のけじめであったのだろう。弱々しい糸のほつれが、言い知れぬ寂しさを感じさせた。

昭和十九年から二十年頃に、この司令官官邸の前で撮ったとされる一枚の写真がある。今と変わらない煉瓦造りの洋館を背景に、和装の樋口と妻の静子が横に並んで写っているが、その足下に見えるのはキャベツ畑である。官邸前の土地で野菜を育てなければならないほど、北海道においても食糧難が深刻化していたのであろう。写真の中の樋口の顔は、視線を下に向け、口をへの字に曲げていて、あまり冴えない。

六十五年ほど前、まさにこの場所で、樋口はアッツ島救援部隊の派遣の中止を受け止め、それを山崎大佐に伝えた。樋口の無念と自責の念が、今も壁を這っている。

キスカ撤退作戦の開始

アッツ島の放棄を呑んだ樋口が、下を向く間もなく、懸命に奔走したのがキスカ島の撤退作戦であった。言葉は悪いが、アッツ島守備隊の犠牲を交換条件とする形で、キスカ島の撤退が決まったのである。キスカ島には、陸軍北海守備隊司令官の峯木十一郎少将率いる約二千七百名と、海軍第五十一根拠地隊司令官の秋山勝三少将率いる約二千五百名がいた。

この作戦は樋口にとって、自らの軍人人生を懸けてでも、成功させなければならないものであった。作戦名は「ケ号作戦」と名付けられた。

しかし、一口に撤退作戦と言っても、米軍に制空権も制海権も奪われた状態で、五千人以上にのぼる兵員たちを無事に撤収させることは、容易なことではなかった。すでにキスカ島の周辺は、米軍の艦隊に取り囲まれているような状態である。

五月下旬、潜水艦「伊九号」などを使っての撤退作戦が行われた。米軍の包囲網から逃れるために、潜水艦の使用を選択したのである。しかし、潜水艦では一回の輸送で運べる将兵は、百名にも満たない。それでも往復を繰り返し、六月初めまでに八百名以上の将兵を送還することに成功した。

しかしその後、米軍が誇る最新式レーダーの威力の前に、行方不明になったり、被弾して座礁する潜水艦が相次いだ。結局、潜水艦による撤退は半ばで中止となった。

続いて実行されたのが「ケ二号作戦」である。これは、速度の早い軽巡洋艦や駆逐艦を投入して、一気にキスカ島に突入し、残りの全将兵を一挙に撤収させるというものであった。

こうしてキスカ島の大規模な撤退作戦が始まった。七月七日、巡洋艦「阿武隈」を旗艦とする艦隊は、キスカ島を目指して幌筵島を出航した。

敵の目から逃れるため、日が沈んでからも艦尾灯の他はすべての灯りを消して進んだ。これは大変な熟練の技術を要する航海であった。

しかし、気象条件が良くない。雲のない快晴なのである。この「ケ二号作戦」は、濃霧に隠れる形で行われるというのが絶対条件という「霧がくれ作戦」であった。確かに、この地域には深い霧がよく発生したが、これはあくまでも自然条件である以上、思いのままにはならない。出航する幌筵島には霧が立ちこめていても、キスカ島に到着するのは三、四日後のことであり、その日のキスカ島周辺の天候を読むことは困難であった。さらに、キスカ島周辺の天候は変わりやすいことで有名で、このことが作戦をさらに難しくさせていた。

艦隊はキスカ島を目指して進んだが、霧は少なかった。これでは、いつ敵に見つかってもおかしくない。キスカ島への入港は当初、十一日を予定していたが、霧は十分ではなかった。艦隊指揮官の木村昌福《まさとみ》少将は、艦隊を遊弋させながら機会を待ち、島への突入日を十三日、さらに十四日へと延期した。

キスカ島では、守備隊の将兵たちが、救援艦隊の到着を待ちわびていた。「撤収作戦決行」の報せを受けた後、島内各地の守備隊員たちは、陣地と乗艦予定地のキスカ湾との往復を繰り返していた。雪道の中、部隊によっては片道二時間以上もの道のりであった。希望のある往路は良かったが、救援艦隊の島への突入が延期となったことを知らされた後の帰り道の足取りは重かった。そんな日々が続き、将兵たちの疲労は極限に達した。

船上の木村は空を睨み続けた。しかし、十五日になっても気象条件は味方してくれない。その間にも燃料は減っていく。結局、木村は苦慮の結果、一旦、幌筵島に戻り、再度の出撃を期すことに決めた。これは木村にとって、非常に困難な判断だったと言える。慢性的に逼迫している燃料のことを考えれば、事実上、燃料を無駄に費やした結果となる一時帰投には抵抗があった。次の出撃時に天候が都合よく濃霧になる保証もない。

樋口も天に祈る気持ちであった。

帰還

幌筵島に戻った木村のもとには、連合艦隊司令部から再度の出撃を急がせる催促や非難の声が届いていたが、木村は泰然と好機を待った。

救援艦隊が幌筵島に帰投したことを知ったキスカ島の将兵たちは、一様に暗い表情を浮かべた。米軍からの攻撃は尚も断続的に行われていたが、兵士たちの戦意は上がらなかった。アッツ島同様の玉砕戦が、将兵たちの頭に想起された。

空襲下において、ただ虚空を眺めるような兵士もいたという。

しかし、木村は諦めていない。迎えた七月二十二日、艦隊は再び出航した。出航地の幌筵島には、濃い霧がかかっていた。突入予定日は四日後の二十六日である。

霧は十分であった。濃霧の中、艦隊は順調に進んだが、途中、その霧の影響により、艦船同士の衝突事故が起きるという誤算もあった。それでも作戦自体は、そのまま決行された。ただこの事故の影響で、突入日は二十九日に延期となった。

キスカ島に接近しつつある二十七日午後、霧が徐々に薄れ始めた。最悪の事態が木村の脳裡をよぎったが、夕方になると再び濃霧が発生し、辺りは深い乳色のベールに包まれた。

二十九日正午頃、救援艦隊はキスカ島沿岸に突入。霧は深かった。午後一時四十分、入港。即座に乗艦が開始され、艦隊の到着を待ちわびていた兵隊たちが、大発動艇、小発動艇に乗り込み、それぞれの収容艦へと運ばれた。しかも、この乗艦行動の間のみ、港内の霧がにわかに晴れ、そのことがより迅速な乗船に結びついた。また、樋口は兵器や弾薬を放棄することを認め、このことも速やかな撤退活動に繋がった。

こうして投錨からわずか約一時間で、全将兵の乗船が終了した。ただ、「命にかけても手放すな」と言われた三八式歩兵銃を含む各種兵器を遺棄、放棄したことについては、後日、大本営において議論を呼んだ。

とにかく、艦隊は再び走り出した。全速力で危険水域を駆け抜ける。霧は再び濃くなり、艦隊を隠すようにして覆った。

八月一日、キスカ島守備隊の将兵たちを乗せた艦隊が、幌筵島の柏原港に帰港。キスカ島守備隊は、濃霧に紛れる形で、最後まで米軍に気づかれることなく、無事の帰還を果たしたのであった。その数は五千百八十三名に上ったという（諸説有）。

樋口は七月二十七日から幌筵島に入り、艦隊の帰港を待っていた。彼は無事に帰還した将兵たちの姿を前に、何を思っていたであろう。

私はきっと、アッツ島の将兵たちのことを考えていたのだと思う。

港では、十機の陸軍戦闘機が、歓迎飛行を行った。帰還した将兵たちは、幌筵島東北端の台地に急造された兵舎に収容された。
その晩、樋口の宿舎では、峯木少将ら陸軍の佐官級以上を集めて、ささやかな慰労の宴がもうけられた。その際、キスカ島撤退兵の一人の少佐が、酒の勢いもあり、樋口に不満の意を示し始めた。その少佐は、キスカ島において最後まで戦いたかったのだという。その時、樋口はこう言って諭したという。

〈おまえは、おれがキスカ撤収をやったことに不満を感じているらしいが、アッツ、キスカだけが戦場ではない。おれはおまえたちの生命を、日本領土の北端である千島防衛のためにひっようとしたのだ。なにも、死をいそぐことはあるまい〉
（『丸』昭和五十一年四月特大号）

こうして成功裡に終わったキスカ島撤退だったが、作戦に参加した軽巡洋艦「阿武隈」に搭乗していた主計士官、市川浩之助の著作によると、後日、次のような事柄があったという。

〈今次作戦関係の行事をすべて終了したので、本艦は大湊へ戻り休養をとることになった。ところが、このたびのわが水雷部隊の見事な撤収作戦に深く感動した札幌の北方軍司令官樋口季一郎陸軍中将から、
「是非木村司令官にお目にかかってお礼の挨拶を申し上げたい。途中小樽に立ち寄ってほし

い」

　との強い要請があったので、司令官もこの陸軍の招待を大変喜ばれ、急遽予定を変更して、小樽に向かうことにした〉（『キスカ　日本海軍の栄光』）

「木村司令官」とはもちろん、この作戦を現場で成功に導いた立役者の木村昌福少将のことを指す。

　対米英戦を通じて、陸軍と海軍の確執は根深く、それが敗戦への要因の一つとなったという側面も否めないが、このキスカ島撤退作戦に関しては、陸海軍の連携が見事に行われた。樋口も戦後、「キスカ撤収の成功の要因」を聞かれた際、「濃霧、日本海軍の友軍愛、アッツ英霊の加護」の三つを挙げている。

　キスカ島からの帰還部隊は、その後、千島第一守備隊の根幹兵力となった。彼らは終戦期、戦後日本の運命を左右したといっても過言ではない戦闘に巻き込まれていくこととなる。

英霊の加護

　キスカ島撤退作戦成功の陰には、気象条件の幸運以外にも、いくつかの偶然が重なっていた。日本の艦隊がキスカ島に突入する三日前にあたる七月二十六日、米軍のレーダーが日本艦隊を捉えた。米軍の艦隊は即座に大規模な砲撃と魚雷攻撃を敢行したが、なんとこれが誤爆であった。レーダーに映ったのは、アムチトカ島などの山々の反射であり、これを日本の艦隊と錯覚したのである。この攻撃によって弾薬を消耗しきったアメリカ艦隊は、補給のためにキスカ島の周辺海域から一旦、離れていた。

さらに二十七日にも、米軍は再びの誤報により、同士討ちという悲劇まで犯していた。こうしてキスカ島の周辺に米軍の影がなくなったちょうどその時である二十九日に、日本の艦隊がキスカ島に突入したのである。そんなことは、木村艦隊司令官でさえ知らないことであった。

人生とは偶然の連続であり、歴史が人生の集約形であるならば、やはり歴史も一定度、偶然の連続性から成り立っている。

先に樋口が作戦成功の要因の一つとして「アッツ英霊の加護」を挙げていることを記したが、後に作戦の全容を知ったキスカ島の帰還兵たちは、奇跡のような天候の変化や米軍の錯誤に思いを馳せ、全員が樋口と同様の感情にかられた。それは、アッツ島の犠牲者たちが、自分たちを加護してくれたのだという強い思いであった。アッツ島の玉砕が五月二十九日で、キスカ島から撤退できたのが、ちょうど二カ月後の七月二十九日であったことにも、何かしらの意味を感じ取る者が多かった。

札幌護国神社の境内に建つ「アッツ島玉砕雄魂之碑」にある解説文には、キスカ島撤退に関して、以下のような一文がある。

〈又アッツの雄魂がキスカの戦友撤収するに際し、其の行動を守護する数々の神秘を具現し奇跡の撤収を成功させたのであります〉

樋口は同時に、軍司令官らしく、「神懸かり」といった意味とは異なる別の角度から、現実的な要素も含めて、キスカ島撤退について戦後にこう書き残している。

〈なお神秘的の言辞を弄し得んとすれば、それはアッツ島の英霊の加護である。何となれば、アッツ部隊が余りに見事なる散華全滅を遂げたから、米軍はキスカ部隊も必ずやアッツの前例を追うならんと考え、撤収など考慮に入れざりしならん。若しキスカ部隊或は撤収すべしと考え、米軍がこの考えで査察したとせば、撤収半ばにして該企図をしたるなるべし。此意味に於て日本軍の企図を秘せしめたるは、アッツ島の英霊とも云い得る〉

（『書翰』昭和四十年一月二十六日付）

合同慰霊祭

キスカ島撤退作戦は、いくつかの条件が重なったことにより、奇跡的な成功を収めた。この濃霧に隠れた日本軍の撤退に、米軍は全く気がつかなかった。米軍はその後、日本軍のいなくなった「もぬけの殻」のキスカ島に対し、数千発の砲弾を打ち込んだ。このことについては、兵器をそのまま島に残置して撤収したことにより、外見上の配備に変化を及ぼすことが少なかったことが、思わぬ効果を呼んだとも考えられている。米軍側は日本の見事な撤退作戦を「パーフェクトゲーム」と呼んだ。

このようにキスカ島の兵隊たちの犠牲を最小限に留めることができた樋口だったが、しかし、彼の表情はこの時期を境に、常に曇りがちになったと言われている。

一九四三年（昭和十八年）九月二十九日、札幌市の中島公園で、アッツ島守備隊将兵二千六百余柱の合同慰霊祭が執り行われた。祭壇には二千六百余の白木の箱がずらりと並んだ。しかし、中に遺骨は入っていなかった。

札幌護国神社の名誉宮司を務める反橋宏氏にお話をうかがった（反橋氏は二〇一〇年一月五日に逝去）。一九二七年（昭和二年）生まれの反橋氏は、アッツ島玉砕時は十六歳。援農に出ていた先で玉砕の報を聞き、大変な衝撃を受けたという。

「日本が負けるはずがないと思っていましたから。大変ショックでした」

合同慰霊祭は、反橋氏の父親である隆信が取り仕切った。

「空の箱を持っての行進ですからね。それはもう実に悲惨なものでしたよ」

そう話した反橋氏はもう一度、小さな声で、

「悲惨でしたね」

と繰り返した。

弔辞を読み上げたのは樋口であった。樋口は一切、涙を見せなかった。しかし、弔辞を読む樋口の声は、少し震えていたという。

この頃から、樋口の体軀は、みるみる痩せ細った。

四女の智恵子さんはアッツ島玉砕時、東京にいたが、彼女は「ニュース映画」を観に行った時のことを覚えている。

「『お父様が大変なのよ』というのは聞いていました。詳しいことはわかっていませんでしたが、ただ、そのニュース映画の中に、父が哀悼文を読み上げる場面があったことだけは強く覚えています」

その直後、縁故疎開により、智恵子さんは札幌の両親の所へと移ることとなった。父親との久しぶりの再会であったが、智恵子さんは父の変わり果てた姿に思わず驚いたという。

「父が随分と痩せていたのですごく驚きました。十キロくらいは減っていたと思います。げっそりという感じで痩せていました。見る影もありませんでしたね。私も本当に吃驚《びっくり》して、すごく哀しく思った覚えがあります」

日本では現在、ユリ科の植物の一種であるロードヒポキシスのことをアッツ桜と呼ぶ。名前の由来には諸説あるが、とある花屋の主人が、アッツ島玉砕を偲んで名付けたのがその嚆矢だとも言われている。原産地は南アフリカ共和国のドラケンスバーグ山脈周辺の高原であり、アッツ島には一切、生えない。球根植物であり、桜とも形状は大きく異なる。

この花の名前は一つの虚構であり、同時に鎮魂の詩でもある。春から初夏にかけて開く薄紅色や白色の可憐なその花弁には、滴るような血の物語が隠されている。

小さいが、強健な花である。花の色はリラにも少し似ている。

常不軽寺

札幌は藻岩山に近い静かな住宅街に、日蓮宗の無量寿山・常不軽寺は建つ。「常不軽」とはあまり聞き慣れない言葉だが、法華経に出てくる、誰にでも仏性を見いだす菩薩のことを指すのだという。

寺院といっても、周囲のごく一般的な一戸建て住宅と変わらない造りになっているので、知らない人はここがお寺だと気づくことは難しいだろう。ただ一つ目を引くのは、高さ七メートルほどの石碑が玄関先に建っていることだ。碑の表には、「大東亜戦争諸霊位追善菩提」と書かれている。

この寺の三代目住職である川見尚賢氏は言う。

「この寺は、樋口季一郎司令官の頼みで、アッツ島玉砕の英霊を慰霊するために開かれました」

初代住職である唐澤祐助は、樋口と直接の交流があった。樋口が資金的な援助をすることで、この寺が開かれたのだという。開闢が一九四三年十二月だから、アッツ島玉砕から半年ほどを経た時期ということになる。

戦時中、軍司令部が唯一の檀家だったこともあり、終戦と同時に寺はすべてを失った。しかし、戦後も檀家を求めず、托鉢で浄財を集める形で、寺をなんとか存続させた。一九八四年（昭和五十九年）八月十五日付『北海道新聞』には、当時の住職（二代目）である山本日軽尼僧の言葉が記されている。

〈「戦争の犠牲者は、どんなにつらい思いをしたことか――。一人でも（慰霊碑に）手を合わせてくれる人のために、生きている限り寺を守っていきたい」〉

山本日軽尼僧の没後も、その遺志は三代目に引き継がれている。

先の石碑の裏側には、一編の漢詩らしき言葉が添えられていた。

衆生見劫盡　大火所燒時
我此土安穩　天人常住滿

脇には「季一郎」の文字が見える。私は当初、樋口の自作かと思ったが、後に調べてみると、これは「自我偈」（妙法蓮華経如来寿量品偈）と呼ばれるお経の一部で、「法華経」十六章の

「妙法蓮華経如来寿量品第十六」の中の言葉であることがわかった。「法華経」全二十八品の神髄の章であるという。

ただ、四句目は「天人常充満」が正しく、碑に刻まれている「天人常住満」は、樋口が意図的に変えたのか、それとも単なる誤字であるのか断定できない。だが、意味から類推して考えれば、誤字の可能性が高いと一応の判断はできる。経典に手を加えるという行為も考えづらい。

対和訳、及び意訳をすると次のようになる。

衆生は劫尽くるを見（この世の終わり、壊れ果てる時代となり）
大火に焼かるる時（世界が火に包まれ、全てのものが焼き尽くされても）
我が此土は安穏にして（お釈迦様のいるこの世界は、そのありのままが安らかであり）
天人常に充満せり（常に仏と人々で満ちあふれている）

この「自我偈」の中で釈尊は、この現実の世界こそが仏の浄土であることを説いている。

境内には、樋口の肖像写真が今も飾られている。その隣に掲げられているのは、アッツ島に散った山崎保代の写真である。並んだ二人が、私を見下ろしていた。

「こんなものもあります」

そう言って川見住職は、小さな紙包みを見せてくれた。丁寧に開いてみると、中にはいくつかの小石が入っていた。

「昭和六十一年に、政府主催のアリューシャン列島慰霊の旅が行われたのですが、私はそれに所用で出席することができませんでした。するとその後、道庁の役人がこれを持ってきてくれたのです。これは、アッツ島の石ということです」

若干の丸みを帯びた灰色の小石は、この世の光の乱舞を拒絶するように、あるいは、人の世の煩わしさと一線を画すかのようにして、ただ黙している。

常不軽寺に建つ慰霊碑

石は黙ってものを言う。

樋口と山崎の写真の視線の先に、アッツ島の石が転がっていた。


樋口季一郎という一人の軍人の生涯を思う時、私の脳裡に一つの言葉が浮かぶ。「泥多仏大《でいたぶつだい》」と書き、「泥多《どろおお》ければ仏大《ほとけだい》なり」と読む。仏像を造る際、大きな仏泥の量が多ければ多いほど、大きな仏ができあがるという意味合いだ。

泥が意味する所は幅広くあろうが、

戦時下において、指揮官として様々な決断を下していくことは、多くの泥を被る作業でもあった。

樋口の人生には泥があった。しかし、それこそが彼の底光りするような魅力を成り立たせている。私の今回の取材とは、そんな泥の肌触りを探る旅であるとも言えた。

第六章　占守島の戦い

東條との再会

一九四四年（昭和十九年）三月十日、北方軍は新たに第五方面軍に改編され、樋口は新方面軍司令官に親補された。同月十五日、軍状奏上のため、樋口は空路、上京した。

宮中では陛下に拝謁。その後、首相官邸に赴き、東條英機首相と顔を合わせた。互いに満州時代とは地位も立場も大きく変わっている。オトポール事件に際し、樋口が東條に対して、「参謀長、ヒットラーのお先棒を担いで弱い者いじめすることを正しいと思われますか」と迫ってから約六年の歳月が経っていた。六年前、関東軍参謀長だった東條は、一九四一年（昭和十六年）から総理の座に就き、さらにその後は陸軍大臣と参謀総長を兼任する形となっていた。

日本の戦況は、いよいよ悪化の一途を辿っていた。中国戦線は膠着したままであり、さらに、南太平洋や東南アジア方面に関しては、物量に優る米軍の反攻が激しさを増していた。

樋口の管轄である北方地域においても、アリューシャン列島の奪回に成功した米軍が、いつ北千島に攻め入ってもおかしくない状況が続いていた。

さらに、ソ連の動向にも注視をしなければならなかった。元々ロシア通であり、ワルシャワ駐在武官時代から、対ソ戦略の研究を重ねてきた樋口は、ソ連軍の侵攻への警戒を続けていた。

三月十八日、東京から札幌に戻った樋口は、北千島における防御陣地の構築を急がせた。それから約四カ月後、東條内閣は閣内不一致を理由に崩壊。その後、小磯国昭による内閣が発足したが、戦況の打開はもはや困難な状況であった。

そしていよいよ、日本本土がB29の空襲を連日のように受ける時代を迎えていくのである。

兵力の移転

年が明けた一九四五年（昭和二十年）、つまりこの年の夏に敗戦を迎えることになる年の始まりであるが、大本営は本土決戦計画を決定し、これに伴って軍の大幅な改編を行った。

この中で、樋口は北部軍管轄区司令官を兼任することになった。樋口率いる第五方面軍の総兵力は、七個師団、四個旅団で、約二十三万。これらが、北千島、樺太および北海道本島の防衛を担った。

二月から戦闘が始まっていた硫黄島も三月に陥落。これにより、航空機の中継基地を得た米軍は、本土への空襲をさらに激化させ、日本の敗戦が色濃くなった。

本土決戦という言葉が現実味を増す中で、大本営は樋口の第五方面軍から二個師団、二個旅団を抽出し、内地防衛のためにこれを転用した。この転用に関して「大本営からの命令によって一方的に行われた」とする資料があるが、樋口の『書翰』の中には、次のような文章がある。

〈南方ヨリジリジリ押シテ来ル、此際北方カラ来ルラシクモナイ。ソレハ我等ノ準備ニヨル。尚オ、攻者トシテモ、北海作戦ヲイヤガル。
右ノ様ナ関係カラ、要スレバ兵力ヲ中央ガ引キヌクコトヲ可トスト意見具申シタ〉
（『書翰』昭和三十九年七月七日付）

さらに、別の『書翰』（昭和三十九年十月六日付）の中にも、

〈当時第五方面軍は内地へ二個師団を抽出せられ（不肖の意見具申による）たことがあり〉

という一文がある。当時の日本陸軍の総力と、米軍の作戦方針を分析した結果、大事な自分の保有戦力を他に回すよう、樋口の方から具申した事実が浮かびあがる。自らが抱える師団や大隊の利益を優先する将校が多い中で、樋口のこの決断は注目に値する。
当時、陸軍と海軍との間で、互いの所属組織の利益に固執する軍人たちにより、総体としての国益が大きく損なわれた。このことは、国益より省益を優先する官僚の存在などを考えれば、

現代にも通用する話であろう。

国家の全体的な国益を追求する視点から行われた樋口の具申により、この転用は実現した。これにより、第百四十七師団と海上機動第四旅団が関東地方へ、第七十七師団と海上機動第三旅団が南九州へと移転となる配備変更が行われた。五万近い兵力が、それぞれの新たな任地へと移っていった。

樋口は作戦構想の再検討に即座に着手した。

空襲

三月十日には首都である東京が大空襲に遭い、十万人とも言われる死者が出た。樋口の養母・とよや、長女の美智子らはその当時、田園調布におり、樋口邸は無事だったものの、家のすぐ近辺も焼夷弾《しょういだん》による被害を受けた。樋口の家族は防空壕に逃げ込み、犠牲者は出なかったが、近所の十軒ほどの家も炎に包まれ、美智子や三女の不二子も、消火のために駆け回った。東京の下町に投下された焼夷弾の残りを、現在の環八沿いに落としていったという記録が残っている。

その後、美智子の息子が通うはずだった国民学校も閉鎖となった。

四月半ば、とよ、美智子、不二子らは、札幌にいる樋口を頼って東京を発った。ちなみに、次男で病身の季徳と、四女の智恵子は、一足先に札幌に疎開している。

札幌月寒の官舎で家族は再会した。長女の三人の子どもたち、つまり樋口にとっての孫たちは、すでに敗戦へと向かう生活の中で、背骨が浮き出るほどの栄養失調状態にあったが、札幌到着後、牧場の搾《しぼ》り立ての牛乳をたっぷりと飲んだ。子どもたちは札幌にきてから、日に日に元気を取り戻していったという。

首都・東京が焼かれている頃、樋口指揮下の第五方面軍では、大規模な戦闘はまだ起きていなかったが、七月に入ると、樺太国境付近のソ連軍の動きが活発になってきたとの情報が樋口の耳に入った。

当時、樺太には峯木十一郎中将率いる第八十八師団が駐留しており、その総兵力は約二万千名。峯木はキスカ島からの帰還組である。日本側はソ連を仲介としてアメリカとの和平交渉を五月頃から開始、継続していたが、北方の前線では、すでに和平の仲介どころか、ソ連参戦の気配が十分に蔓延していたのであった。

ソ連に和平工作を依頼する交渉を進めていた一人が、この時、関東軍総参謀長の役にあった秦彦三郎である。樋口と秦の人生が、再び不可思議な絡まりを見せ始めていた。

対ソ戦開始

一九四五年（昭和二十年）八月六日、広島に原子爆弾が投下された。樋口は東京からの電報により、その損害を知った。

その電報には、比較的詳細な数字が記されていたが、それらは樋口の常識を遥かに超えるものであった。樋口は急遽、北海道帝国大学教授の中谷宇吉郎との会見を行った。中谷は寺田寅彦に師事した物理学者で、一九三六年（昭和十一年）には世界で初めて人工雪の製作に成功するなど、当時の日本を代表する研究者であった。樋口から広島の被害を聞いた中谷は、こう言ったという。

〈博士は「そうですか、それは大変だ。未だ二、三年は大丈夫と考えて居た。それは原子爆弾です」〉（『遺稿集』）

そのショックもまだ覚めやらぬ同月九日、政府及び大本営に、ソ連が日ソ中立条約を一方的に破棄し、日本に宣戦布告したという情報が飛び込んできた。

遡ること同年二月、連合国側はヤルタ会談の席において、それまでにも議論に上がっていた「ドイツの敗戦後、二、三カ月のうちにソ連が対日参戦する」という密約を、改めて確認し合っていた。この秘密協定には、ソ連参戦の条件として樺太南部のソ連への返還、千島列島のソ連への引き渡しなどの条項も盛り込まれていた。これはスターリンが提示した原案を、ルーズベルトがそのまま承諾した形であった。

しかし、日ソ中立条約の有効期限は一九四六年四月までであり、この参戦は明確な条約違反である。

そんなソ連に和平の仲介役を頼んでいた日本側の稚拙な外交感覚は、厳しく非難されてしかるべきである。この和平工作の迷走は、日本近代史における最大級の過ちと言っていい。

ソ連が考えていたことは、日本が敗戦を受け入れる前に、侵攻することだけであった。

九日未明、ソ連軍は一斉に満州北部などへの侵攻を開始。すでに精鋭部隊を南方に抽出され、弱体化していた関東軍は、ソ連軍の圧倒的な火力の前に、なす術もなかった。関東軍の中には執拗に抵抗を試みた部隊もあったが、居留民を見捨てる形で戦闘を放棄した場面も少なくなかった。

三方から満州に侵攻した百六十万とも言われる大量のソ連軍は、無辜《むこ》の一般人に対する殺戮、略奪を繰り返した。ソ連軍はベルリンを占領した際にも、同様の惨劇を引き起こしており、終戦期における彼らの組織的頽廃の膨張は、アメリカの対ソ観に反感を持たせるのに十分であった。

満州への侵攻と呼応する形で、ソ連軍最高統帥部は、樺太進攻作戦を発令した。樺太への進攻を開始したソ連軍の総兵力は約二万。戦車旅団を含む精鋭部隊である。命令は「全樺太を占領せよ」。若き日より、対ソ戦の研究を重ねてきた樋口の懸念と警戒は、このような形で的中することとなった。

大本営は同日の内に、樋口に対して、国境方面所在の兵力をもって対ソ作戦の発動を準備するよう発令した。これを受けた樋口は、南樺太に駐屯する第八十八師団長の峯木十一郎中将に「本日未明ソ軍が満州国内に越境し関東軍はこの敵と交戦中である」と伝えた。

ポツダム宣言受諾

日ソ中立条約を一方的に破棄し、各地で進攻を始めたソ連軍は、樺太にも押し寄せたが、それに対する日本の現地軍は、兵力、武器ともに劣る中で、懸命に戦った。その果敢な奮闘ぶりは、敵をして驚かしめるほどであった。

八月十一日、樺太の地において、ソ連の戦車部隊が日本の守備隊と激しい交戦状態に入る。ソ連軍自慢のT34中型戦車の突進に対し、日本側は二個小隊が速射砲や機関銃で応戦。一時は進撃を阻止したが、すかさず兵力を増強したソ連軍は、徐々に兵を前進させていった。

翌十二日、樋口は第八十八師団に対し、次のような訓示を出している。

〈断乎仇敵ヲ殲滅シ　以テ宸襟ヲ安ンジ奉ランコトヲ期スベシ〉（『戦史叢書』）

十三日、ソ連軍は古屯西方台地にまで達し、これにより古屯陣地の攻防戦が始まった。日本側にとって、古屯を奪われると八方山に陣取っている主力部隊が孤立してしまう。古屯は戦略上、確保すべき重要な地点と言えた。日本側は古屯を死守するため、救援部隊を差し向けたが、ソ連軍の圧倒的な戦力の前に、救援部隊も苦戦に陥った。

ソ連軍はさらに戦車部隊を前面に押し出し、古屯の制圧を目指した。

この古屯の他にも、樺太各地で日ソ両軍による激しい戦闘が続いた。日本軍は爆雷を背負っての自爆攻撃や、斬り込み突撃などを執拗に敢行し、戦力に優るソ連軍を苦戦させた。

将兵たちには、ここで自分たちが負ければ、ソ連軍は北海道まで侵攻するであろうとの思いがある。

そんな中で迎えた八月十四日の二十二時頃、参謀長の萩三郎中将を始め、十名ほどの参謀が、樋口の官舎に参集した。樋口は初め、樺太に関する特別会議かと考えたという。しかし、萩参謀長が口にしたのは、樋口の予想とは別のものであった。

〈参謀長口をひらいて、只今
天皇陛下が、ポツダム宣言を受諾せられました。
旨の公電が到着したと告げた。
今迄我慢に我慢をして居た彼等、泉の切れし如く、関《せき》の切れし如く、相抱え相擁し、声を揚げ、声を伏し号泣、哀号いつ果つべしともみえないのであった〉
（『遺稿集』）

しかし、樋口の目に涙はなかった。

〈余りの重大さである故か、私には涙が出ないのである。心愈々《いよいよ》澄み切って、しかも興奮する事がないのである。私は本来熱血漢であった筈だ。それ故幾多の問題に介入して、要らざることに随分タックルした。尚、現役を退いて然るべき場面にも遭遇した。而して今、日本が崩壊か滅亡かの関頭に立った場合、不思議と何等の感懐も湧かず「来たるべきものが来た」「敗れるものが敗れた」「当然のことが当然として現れた」と感ずるのであった〉（前掲書）

終戦後の戦い

翌十五日、日本国民は敗戦を知った。樋口の長女・美智子は、札幌の地で玉音放送を聞いた。悔しいという気持ちと同時に、心の隅で何かほっとするものがあったという。

樋口とは陸軍大学校の同期生であった阿南惟幾は、同日未明、陸軍官邸で自刃。介錯を拒み、絶命した。遺書には「一死以テ大罪ヲ謝シ奉ル」とあった。

樋口家には毎年、阿南からサクランボが送られてきていたという。少し粗めの手編みの籠に入ったそのサクランボは、終戦の年にも届いていた。四女の智恵子さんは、阿南自刃の報を聞いた時、

「まっさきにサクランボが頭に浮かんだ」

という。

翌十六日、大本営は各方面軍に対し、戦闘行動の即時停止を命令。やむを得ない自衛のための戦闘行動以外、すべての戦闘行為が固く禁じられた。

満州では、抗戦の続行を希望する声も上がったが、これを強く退けたのは、関東軍総参謀長の秦彦三郎であった。秦は十六日に行われた幕僚会議の場において、大命に随順する断を下した。

樋口も指揮下の全将兵に対して訓示を発した。終戦に関する師団命令は、十七日の午後、第一線で交戦中の連隊にまで達し、これをもって現地軍は戦闘を中止した。日本側は、各方面軍に撤退命令を発し、自衛目的の戦闘行動についても「十八日午後四時まで」と徹底した。

しかし、樋口に安堵の気持ちになかった。果たして、ソ連が本当に侵攻を止めるかどうかという危惧が頭を離れなかったのである。そして、樋口は「ソ連の行動如何によっては『自衛戦争』が必要になるだろう」との腹案を持つに至った。それは、ロシアの専門家として軍人人生の大半を送ってきた樋口が導き出した最後の結論であった。

樋口の懸念は現実のものとなる。ソ連軍は銃を置かなかった。樺太での戦闘は継続され、それどころか、ソ連軍最高統帥部は千島、南樺太への進攻作戦を新たに発令した。

千島進攻作戦の要項にはまず「占守島の北東部から奇襲上陸し」とある。日本人の大多数が聞いたこともないこの占守島という小島が、日本史に登場することになるのは、この作戦方針に端を発する。

占守島は千島列島の最北端に位置し、カムチャッカ半島とは十キロほどしか離れていない。この占守島には、第九十一師団の歩兵第七十三旅団などが駐留していた。

占守島の戦闘

八月の占守島は夜明けが早い。午前三時半ともなれば、徐々に辺りは白み始めてくる。終戦の報に触れたばかりの守備隊将兵の多くは、戦争中には感じることのなかった安堵に包まれながら、深い眠りの中にあった。占守島の部隊は、十五日の夕方にはポツダム宣言の受諾を知り、武装解除を始めていた。敗戦の報に一度は動揺した将兵たちも、徐々に落ち着きを取り戻し、寝る前には、

「故郷に帰ったら何をしようか」

と笑みを見せながら話し合った。夢の中で故郷の光景に遊んだ者も、少なくなかったに違いない。

日付が十七日から十八日に変わる前後の時間に、幾人かの将兵たちが、謎の砲声を聞いた。周囲はまだ闇である。日本側守備隊に戸惑いの色が浮かび、その後、「敵が上陸中」「国籍は不明」といった情報が錯綜した。将兵の多くは、相手は米軍ではないかと思ったという。

これが、ソ連軍による占守島への上陸作戦の開始であった。やがて、凄まじい艦砲射撃の支援の下、十八日午前一時過ぎには、ソ連軍の上陸部隊が占守島北端の竹田浜に殺到した。

このような状況を伝える占守島からの電文は、幌筵島の柏原に司令部を置いていた第九十一師団の師団長・堤不夾貴《ふさき》中将のもとに届けられた。

この第九十一師団は、第五方面軍司令官である樋口の隷下にあり、電文は樋口のいる方面軍司令部にもすぐに届いた。樋口はこの時のことを後にこう記している。

〈「十八日」は戦闘行動停止の最終日であり、「戦争と平和」の交替の日であるべきであった。（略）然るに何事ぞ。十八日未明、強盗が私人の裏木戸を破って侵入すると同様の、武力的奇襲行動を開始したのであった。斯《かか》る「不法行動」は許さるべきでない。若し、それを許せば、到る所でこの様な不法かつ無智な敵の行動が発生し、「平和的終戦」はあり得ないであらう〉

（『遺稿集』）

大本営からの指示では「十八日午後四時」が自衛目的の戦闘の最終日時となっている。この戦い自体は疑いようのない自衛戦闘であるが、この日の午後四時を過ぎれば、自衛であっても戦ってはいけない。樋口はこの点に留意した上で、次のように打電した。

「断乎、反撃に転じ、上陸軍を粉砕せよ」

ソ連軍の日本上陸を水際で食い止めなければならない。もしここで跳ね返さなければ、ソ連軍は一気に南下し、北海道本島にまで迫る勢いを見せるであろう。そうなれば、北海道において、沖縄のような地上戦が勃発することも覚悟しなければならない。

占守島でソ連軍の上陸部隊と対峙した守備隊の中には、キスカ島から奇跡の撤退に成功した将兵たちの姿もあった。

深い霧が立ちこめる中、戦闘は凄惨を極めた。一度は終戦の報に接し、故郷に帰った後の日々に思いを馳せていた兵士たちが、血にまみれ、肉片と化して飛び散った。

ソ連の上陸部隊を迎え撃ったのは、村上則重少佐率いる独立歩兵第二百八十二大隊である。村上大隊は水際作戦の下、上陸部隊に対し猛攻撃を加え、竹田浜一帯は熾烈な戦場となった。しかし、時間の経過と共に、ソ連軍の主力部隊は、徐々に上陸に成功しつつあった。

竹田浜側防陣地にいた村上は、四嶺山の戦闘指揮所に移動した。四嶺山には縦横無尽に壕が掘られており、内部にはいくつもの部屋が造られていた。ここを新たな拠点として軍勢を整え、反攻に出ようという作戦である。

しかしやがて、この四嶺山陣地にも、迫撃砲の集中砲火が始まった。ソ連軍の歩兵部隊が前進してくる。日本軍は各種火砲による砲撃を浴びせたが、敵は四嶺山の裾野に取り付き始めていた。

劣勢に陥った日本軍だが、池田末男大佐率いる戦車第十一連隊が、島南部の戦車連隊本部から四嶺山の救援に向かうとの連絡が入り、四嶺山の兵たちの士気は一気にあがった。

停戦命令

「十一」という隊号をもじって通称「士魂部隊」と呼ばれた戦車部隊の指揮を執る池田末男大佐は、陸士三十四期で、愛知県豊橋市の出身。占守島に着任したのは一九四五年（昭和二十年）一月からである。

四嶺山への出撃には、時間を要した。終戦の報に触れた後、車輛の整備も不十分となっていたし、燃料の入ったドラム缶も地中に埋めていた。火を落として久しいエンジンも、暖機が必要であった。前日には「戦車を海に捨てようか」と話していたような状況だったのである。

それでも担当兵たちは、寸刻を争う中、懸命に作業を進め、戦車を稼働させた。

池田が兵士たちを前に訓示を述べた。

〈われわれは大詔を奉じ家郷に帰る日を胸にひたすら終戦業務に努めてきた。しかし、ことここに到った。もはや降魔の剣を振るうほかはない〉

（『戦車第十一聯隊史』）

午前五時三十分、エンジンの力強い轟音が鳴り響く中、戦車部隊は前進を開始し、いまだ霧深い占守街道を速度を上げながら北上した。

四嶺山周辺では、すでに激しい白兵戦が繰り広げられていた。戦闘指揮所となっている本部壕では、村上少佐が情報の収集に躍起となっていたが、通信が途絶えて孤立していた。

そんな戦況下に池田連隊が到着した。午前六時二十分頃、池田大佐率いる戦車群が、四嶺山南麓の台地に姿を現したのである。

池田率いる戦車隊が、ソ連軍を次々と撃破していく。四嶺山を包囲しようとしていたソ連兵たちは混乱に陥り、命令系統を失って後退を始めた。戦車連隊の活躍により、日本軍は四嶺山を死守することに成功したのである。

その後、池田戦車隊は一気に竹田浜に向かって直進。形勢は逆転した。これに対し、ソ連軍は急遽、対戦車砲を前面に押し出し、砲撃を加えた。

そんな中、池田の乗る戦車の側面に、一発の砲弾が突き刺さった。戦車は一瞬にして炎上し、池田も帰らぬ人となった。

島の各所で激しい戦闘が続く中、「午後四時」は確実に近づいてくる。樋口は午後一時の時点で大本営に対し、以下のような打電をしている。

〈今未明、占守島北端にソ連軍上陸し、第九十一師の一部兵力、これを邀《むか》えて自衛戦闘続行中なり。敵はさきに停戦を公表しながら、この挙に出るははなはだ不都合なるをもって、関係機関より、すみやかに折衝せられたし〉

（『流氷の海』相良俊輔）

これを受けて大本営は、マニラのマッカーサー司令部宛てに、ソ連に停戦するよう指導することを求めた。マッカーサーはソ連国防軍アントノフ参謀長に停戦を求めたが、ソ連軍最高司令部はこれを拒否した。

現地でも日本側は、戦闘行動停止のための軍使を送るなど、停戦交渉を試みたが、ソ連側に停戦の意志はなく、交渉は二転三転し、結論が出るには至らなかった。こうして時刻は午後四時を迎え、これをもって日本軍は優勢のまま、積極的戦闘を停止した。しかし、ソ連軍上陸部隊は攻撃を続けたため、実際の戦闘はその後も続いた。

現地日本軍は大本営の決めた「午後四時」という期限を守ろうとし、実際に積極的な戦闘を自ら止めたのだが、この点に関して樋口は、複雑な思いを抱いていたようである。

〈私はこの戦闘を「自衛行動」即ち「自衛の為の戦闘」と認めたのである。自衛戦闘は「不法者側の謝罪」により終熄すべきものとの信念にもとず《ママ》き、本戦争の成果を待つた。私は残念ながら、十六時を以て戦闘を止めた事を知り、不法者膺懲《ようちよう》の不徹底を遺憾とした〉（『遺稿集』）

これを読むと、樋口が必ずしも「午後四時停戦」を厳命していたわけではなかった様子が認められる。それどころか、午後四時をもって現地軍が銃を置いたことを、遺憾とまで評している。

結局、現地での停戦交渉はその後も思うように進まず、翌十九日も散発的な戦闘が続いた。

同日、日本側は再度、軍使を送り、ソ連側もようやく受け入れ交渉に入る。その後も紆余曲折があったが、最終的な停戦が成立したのは、二十一日のことであった。この日、師団司令部は、第五方面軍からの一通の電報を受領した。それは改めて停戦を命じる内容であり、さらに武器の引き渡しにも応じるようにという内容であった。『戦車第十一聯隊史』には次のように記されている。

〈八月二十一日杉野旅団長は各部隊に対し次の要旨の命令を下達した。『各部隊は停戦協定に基き夫々《それぞれ》駐屯地に復帰し後命を待つべし。』と。（略）この夜武装解除に関する旅団命令を受けた。『明二十二日正午三好野飛行場に於て武装解除を行う』〉

実際の武装解除は、予定より一日延びて二十三日から行われた。

占守島の戦いにおいて、多くの犠牲者を出したのはソ連側であった。日ソ両国のそれぞれの公式記録を参照すると、この戦いでの日本側の死傷者は六百〜千名。これに対し、ソ連側の死傷者は千五百〜四千名という数字となっている。

日本軍は占守島での戦闘においては決して負けていなかったが、日本国が敗戦を受け入れている以上、武装解除に応じるしか他に手はなかったのである。

占守島の戦いの意味

元来、スターリンは北海道の北部を占領する計画を持っていた。しかし、これに強く反対したのがアメリカのトルーマン大統領である。トルーマンは八月十八日付のスターリンへの電報の中で、ソ連の北海道占領を認めない態度を鮮明にした。この時、すでに冷戦構造は萌芽していたと言える。

外交上は以上のような経緯があったわけだが、実際の現場において、例えばもし、日本が占守島の戦闘に敗れ、ソ連軍のその後の南下を許していたならば、ソ連軍がそのまま北海道にまで達していた可能性は否定しようがない。

しかし、この占守島の戦いにおいて、日本軍の実力を体感したソ連の首脳部は以後、日本に対して慎重な姿勢を見せないわけにはいかなくなった。ソ連軍の侵攻が遅れている内に、米軍が北海道に進駐した。

占守島の戦闘は、戦場としては小さなものであったが、日本という国の形を守る意味では非常に大きな戦いであった。日本が朝鮮半島のような分断国家となった可能性も十分にあったのである。

この点について、樋口が公に自らを誇るようなことは一切、話していないし、書いてもいない。しかし、孫の隆一氏は、樋口が半ば憤慨した様子で、こんな話をしていたことを記憶している。

「日本の歴史家は、日本の負け戦しか書かない。北方でソ連軍に勝った戦闘には、ほとんど目を瞑《つむ》っている。それはそれで不自然なことだし、非常に残念なことだ」

占守島で戦い、散っていった兵隊たちのことを考えれば、樋口のこの発言も切実な思いから発せられたものであったろう。戦後の日本を覆った歴史認識に対し、樋口は一つの礫《つぶて》を投げつけている。

しかし、同時に樋口はこの戦闘における自らの責任の所在にも強く苛まれた。他のそれまでの戦闘は、言わば「天皇の指示」における戦いである。しかし、玉音放送後に行われた占守島の戦いは、樋口の決断、つまり「自らの指示」によって戦闘が行われ、そして部下が死んでいった。その戦死者への責任は、自分にあるというのである。樋口らしい思考と言えばそれまでだが、であるからこそ、この戦闘の意義をありのままに語り継いでほしいという願いに繋がっていったのであろう。

それにしても、この時期のソ連軍の傍若無人ぶりは目に余る。突然の占守島上陸作戦の後も、八月二十八日に択捉島、九月一日に色丹島、翌二日には国後島などを不法に占領した。北方領土は今も日本に還ってきていない。

さらに、武装解除した多くの日本兵が、スターリンの命により、シベリアに抑留されたのも周知の事実である。一九五六年（昭和三十一年）の「日ソ共同宣言」の際にソ連側は抑留者の総計を六万人としたが、実際には六十万～百万人もの日本兵が抑留されたとも言われている。その中で、命を落とした人の数も、十万人近くに及ぶと推計されている。

占守島で戦った将兵たちも、八月二十三日の武装解除の後、シベリアへと抑留された。強制収容所（ラーゲリ）に収容された彼らは、劣悪な環境の中での重労働を強いられた。一度は叶ったと思われた故郷に帰る夢を実現させることなく、酷寒の地でその生涯を終えた者も少なくなかった。

樋口の盟友であった秦彦三郎もシベリアに抑留された。復員したのは実に十年余りを経た一九五六年十二月のことであった。

最終章　軍服を脱いで

朝里へ

終戦後、米軍の進駐が差し迫ると、札幌の巷間には、
「女、子どもは山に逃げなければ」
との流言が広まった。しかし、樋口はこう言ったという。

〈「何を言うか！　心配するな。米軍は大丈夫だよ」と笑った〉
（『花の下なるそぞろ歩きを』玉村美智子）

一九四五年（昭和二十年）十月十五日、参謀本部が廃止。同年十一月三十日には陸軍省が廃止となった。

終戦と共に、樋口の人生も大きく変化した。樋口が使用していた月寒の官邸は、進駐軍に接収されることになったが、樋口は失われていた備品をできるだけ揃え、終戦期に混乱した室内

をきれいに整えた。床やガラスまで磨かせて、明け渡しに備えたという。

庭にはリンゴの実がなっていた。樋口がこの地に赴任した際、若木を植えたものが、この時に初めて実をつけたのであった。四女の智恵子さんは、そのリンゴの実を食べることを楽しみにしていたが、樋口はこう言ったという。

「それに手を付けちゃいけない。『日本人はリンゴの実まで取っていった』と言われることは武士道に反する。みっともないことをするな」

花壇の花を摘むこともなく、樋口家は静かに官邸を去った。

接収は無事に行われたが、この時の日本側の振る舞いに感激した米軍司令官から、樋口に対し砂糖一袋が送られたという。

官邸を追われた樋口は、南四条の借家に移り、それから半年間ほど、復員監として復員業務に携わった。

一九四六年（昭和二十一年）の春、樋口の復員監の職も解け、本当の無官となった。樋口が借りていた家も、進駐軍将校の宿舎として接収され、再び家を出ざるをえなくなった。この当時、樋口家には東京の田園調布に立派な邸宅があり、そこを人に貸していたのだが、終戦前後の混乱の中で、借り主以外にも数世帯の人々がその家に転がりこんでいるような状態であった。

樋口は、

「みんな行く所もないいんだろう。追い出すこともできないね」

と、自宅に戻ることを断念。結局、樋口家は小樽郊外の朝里《あさり》という寒村にある知人の別荘へと移り、そこで新たな生活を始めた。

樋口が暮らすこととなった家は、山の斜面に建つ臨時建築の建物であった。周囲は手つかずの自然に囲まれており、居宅には電気も水道も通じていなかった。灯りにはアセチレン・ランプを使い、水は山から流れてくる谷川の水を用いた。食事は馬鈴薯が中心で、家の周囲で摘んだ蕨《わらび》を味噌汁に入れて食した。だが、味噌の入手も楽ではなかったという。かつてはポーランドや満州の地において、瀟洒な暮らしをしていた樋口だったが、その生活ぶりは一変した。時には樋口自ら、地引き網の手伝いをしたこともあったという。

傍から見れば、時代が変わったとは言え、その男がかつての第五方面軍司令官だとは誰も気付かなかったであろう。

そんな人里離れた質素な生活を選んだ背景には、アッツ島玉砕への贖罪意識があったことは、想像に難くない。

一枚の写真が残っている。軍服を着た樋口と、もんぺ姿の妻・静子が並んで写っている。近所の農家の人たちと一緒に立っているが、軍服をよく見るとすでに勲章が取り払われていることがわかる。やや苦みばしった表情が、人生の深い年輪を感じさせる。人の顔は過去によって作られる。

恩給は停止状態が続いた。生活も困窮し、戦前戦中からは想像もつかない塗炭の苦しみを味わった。

樋口はもちろん、家族にとってもそれは大変な変化であった。長男の季隆は朝里での生活を指して、戦後にこう書き記している。

〈実際には生活設備も万事不完全だったので、家族一同は大いに辛酸をなめたのであった〉

（『丸』平成五年八月別冊）

東京裁判

そんな朝里でのある日、樋口のもとを札幌駐屯のアメリカ軍CIC隊長ジム・キャッスル中将が、数回にわたって訪れた。樋口率いる第五方面軍が、アメリカ軍捕虜に対し、どのような処遇を行っていたかを調査していたのである。

調査結果としては、樋口隷下の部隊においては、一件の捕虜虐待事件も存在しないことが立証された。樋口は一九四二年（昭和十七年）から一九四五年（昭和二十年）まで、北海道内の捕虜の管理を統轄する役目にあり、函館俘虜収容所の他、月寒や芦別《あしべつ》などの分所に収容されていた捕虜約千六百人の処遇に関する責任者であった。その中で樋口は「軽挙妄動は許さない」と収容所担当の部下に直々に指示を与え、軍規の遵守の徹底を図っていた。

十二名のアメリカ兵捕虜を収容していた月寒では、玄米の握り飯の食事が不評であったため、小麦粉とパン窯を提供し、パンを焼くことを許可した。樋口はお礼に、食パン三斤を贈られたという。

さらに、終戦時における処理にも、一つの不正がないことも明らかとなった。このような事実が明るみとなるにつれ、アメリカ側の樋口に対する評価は高くなっていった。樋口の娘婿である橋本嘉方氏はこう語る。

「戦後、アメリカ軍から『特別顧問になってくれないか』という依頼がありました。しかし、彼は『バカなことを言うな。それはできない』と断ったそうです」

それは、当時のお金で二十万円という大金での申し入れであった。貧乏暮らしが続いていた家族はその話を聞いて喜んだが、妻の静子だけは、夫がそれを受け入れないことをよくわかっていた様子であったという。

その後、極東国際軍事裁判において、東條英機元首相の証人の一人として、第七番目に出廷することが内定しているという連絡が入った。樋口と東條の二人の間に浅からぬ関係性があったことは、本稿を通じて何度か述べた。オトポール事件に関しても、東條は樋口の独断を不問に付している。そんな過去のいきさつもあり、東條としては樋口に多少の期待があったとも言われている。結局、樋口が法廷に立つことはなかったが、樋口は自らの『遺稿集』の中で、東條を評してこう書き記している。

〈私は若し証人台に立つとすれば、東条の単なるロボットたる所以をレフ・トルストイの「戦争と平和」を根拠として論述し、結局彼は善悪の問題に於いては善に属し、賢愚の問題に於いては愚に属すべき〉

東條に対し、一定の理解と同情を示しつつ、彼を「善」であり且つ「愚」としているところに、戦後の多様な東條論の中においても、実際の東條を知る一人としての肉感ある感慨を汲み取ることができる。

かの裁判が閉廷してすでに多くの時間が流れているが、一つの「証言」として、ここに書き留めておきたい。

戦犯容疑

樋口家が朝里でそんな生活を送っていたある日、日本共産党の機関紙『赤旗』に一つの記事が躍った。それは「樋口季一郎元軍司令官の家には米が三十俵ある」という内容であった。

この当時、四女の智恵子さんは、札幌の中学校の一年生だったが、弁当は毎日、ジャガイモを潰したものであった。『赤旗』の報道があった後、他のクラスの生徒たちが、彼女の弁当をわざわざ見にくるようになった。智恵子さんは悔しい思いを堪《こら》えながら、冷たいジャガイモを口へと運んだ。

「『軍人の家庭』と聞けば、まるで『敵』扱いという時代に突然、変わりましたから。特に『中将』なんて言ったら、何をされるかわからないような空気でした」

智恵子さんは今、瞳の奥に寂しそうな影を浮かべながら、当時のことをそう静かに振り返る。

戦後、樋口家はそんな激変の中にあったが、この朝里での隠棲の時期、樋口の人生は実は水面下で大きな危機を迎えていた。

それは、樋口に対するソ連からの戦犯引き渡し要求であった。確かに、樋口の軍での遍歴を見れば、ウラジオストック特務機関員、ハルビン特務機関長、さらには第五方面軍司令官であり、ソ連にとっては対峙した「敵の大物」ということになる。特に元特務機関長という肩書きが、明確な戦犯対象となった。

実際、戦後、スターリンの直々の命令により、KGBは日本の陸軍や関東軍の内情を徹底的に調べている。そんな中で、幾人かの情報将校らが罪を問われた。それらの罪名は、ソ連国内の刑法による、スパイ罪の適用であった。

この樋口の窮地を救ったのが、ユダヤ人たちであった。満州で命を救われたユダヤ人たちの間で樋口の救出運動が起こり、ニューヨークに総本部を置く世界ユダヤ協会が、ソ連の要求を拒否するよう、アメリカ国防総省に強く訴えたのである。世界ユダヤ協会の幹部の中には、実際に樋口のビザで命を救われた難民もいたという。そんな動きが功を奏し、樋口に対する戦犯引き渡し要求は立ち消えとなったのであった。

樋口はこの朝里で一九四七年（昭和二十二年）十二月まで暮らした。その後は、親戚筋の貴宮家を頼って、宮崎県小林市に転居し、養鶏と畑仕事を主な糧とする晴耕雨読の日々を送った。ただ、恩給は一向に出ることなく、一家の収入は、樋口の次男で謡曲の師範となっていた季徳が面倒を見るような状態であった。田園調布の家にあったソファーや絨毯を売って、現金をつくったこともあったという。結局、恩給が出るようになったのは、終戦から十年以上が経ってからのことであった。

山高帽子とステッキという樋口の出で立ちは、宮崎の町では珍しく、すぐに話題となった。家ではトルストイをロシア語で読んだり、ヘブライ語で書かれた旧約聖書にも挑戦した。

本宅の東側には畑地があり、その隣には茶園が広がっていた。

樋口はその畑地の雑草取りをよくした。知り合いの蹄鉄《ていてつ》屋の職人に頼んで作らせた鉄の棒の先を尖らせた道具で、雑草を一本ずつ丁寧に根元から抜いていく。

四女の智恵子さんは、この時まだ中学生だが、この雑草取りをよく手伝わされた。それは別に良かったのだが、彼女が学校へ行くと同級生の男の子たちが騒ぎ立てるのが嫌だった。

「また中将が草を毟《むし》っていた！」

そう言って、やんちゃ坊主たちは、几帳面に一本一本、雑草を抜いていく老人の所作を真似るのであった。終戦からまだ間もない時代、「中将」という言葉の響きは、男の子たちを興奮させるのに十分であり、樋口家には大人も含めて、見物人が後を絶たなかった。

樋口はそんな周囲の目を気にすることなく、淡々と草を抜いたという。

樋口の姪にあたり、この時期に樋口と同居した経験を持つ貴宮巳代子さんは、樋口から礼儀作法や、「約束や乗り物に乗るときは三十分前に到着すること」といったことを教えられたと記憶している。巳代子さんは、当時のことを記した手紙（淡路島で樋口の研究を続ける岸元秀利氏に宛てたもの。岸元氏より提供）の中で、樋口のことを「威厳の中に慈愛が満ちて居られた」と表現している。


一九四九年（昭和二十四年）八月十五日には、若き日からの盟友であった石原莞爾が、膀胱癌と肺水腫の併発により、この世を去った。

樋口はその後も、宮崎県都城市、神奈川県大磯町、同県相模原市と転居。その後、長男・季隆の転勤に伴う形で大阪府豊中市へと移った。淡路島出身で大阪の幼年学校に通っていた樋口は、当時を懐かしみ、親族と共に淡路島へ赴いたこともあったという。

アッツ島玉砕雄魂之碑

札幌は中島公園の南に、札幌護国神社は建つ。

一九六八年（昭和四十三年）七月、境内の一角に「アッツ島玉砕雄魂之碑」が建立され、そ

札幌護国神社の境内に建つ「アッツ島玉砕雄魂之碑」

の除幕式が行われた。

樋口は老体をおして、この式に参列した。この時の写真が一枚残っているが、身体はすっかり痩せ細り、肉の落ちた首には筋の影が目立つ。しかし、すっと伸びた姿勢の良さに、かつての経歴を確かに感じ取ることができる。

札幌護国神社の宮司であった反橋宏氏が、この除幕式を執り行った。

「その時、樋口さんとお話を交わす機会はほとんどありませんでした。互いに忙しかったという感じでした。しかし、樋口さんの『英霊に対して申し訳ない』といった雰囲気は、その表情からも強く感じられました」

この除幕式には、アッツ島の守備隊長であった山崎保代の遺児である保之氏も参加した。作家の相良俊輔はこの時、樋口に同行していたが、樋口は保之氏の前に進み出てこう言ったという。

〈「樋口です。いまさら、詫びたところで、ゆるされるものではない。しかし、いまの私には、こうするよりほかにないのです。保之さん、ゆるしてくれたまえ」と、ふかぶかと頭を垂れるのであった〉
（『流氷の海』相良俊輔）

慰霊碑の表側には、「アッツ島玉砕　雄魂之碑」の文字が彫られている。さらに、正面左側には、アッツ島から運ばれたという石が置かれている。

この石の奉納に尽力したのは、ジェームズ・D・ブッシュという、かつてアッツ島の戦闘に参加した一人のアメリカ兵であった。戦後の一九六九年（昭和四十四年）、つまり慰霊碑ができた翌年に、ブッシュ氏は札幌護国神社を参拝。それが縁となり、その後にアッツ島を自ら訪れて石を採取した。さらに、友人のベンジャミン・B・タリーの協力を受け、一九八八年（昭和六十三年）五月、石をこの地に納めたのである。運搬には日本航空が好意で協力してくれたという。

私がこの「アッツ島玉砕雄魂之碑」を訪れた時、石の前には、一本のカップ酒が置かれていた。

一八七九年（明治十二年）に開かれた札幌護国神社には、日本の近代史が辿った歴史が凝縮されている。境内には「アッツ島玉砕雄魂之碑」の他にも、「尼港殉難碑」「ノモンハン英魂之碑」など、戦没者慰霊のための多くの碑が静かに並んでいる。日清日露の戦没者から先の大戦まで、多くの英霊がこの地で眠っているが、対米英戦に入ると犠牲者の数が一桁、増える。

「船一つ沈んで数千という犠牲者が出るような戦争でしたからね」

反橋氏はそう呟くようにして語る。遺族の数もその分、途方もない人数となったが、終戦から六十年以上を経た現在、アッツ島やキスカ島の遺族会の集まりも、ほとんど行われなくなったという。

その反橋氏も、インタビュー後の二〇一〇年一月五日、この世を去られた。戦没者の慰霊に心血を注いだ八十二年間の生涯であった。

永眠

晩年の樋口は、東京都文京区白山の自宅で静かな日々を送った。将棋を楽しみとし、子どもや孫たちが会いにいくと、よくその相手をさせたが、四女の智恵子さんによれば、

「そんなに強くなかった」

という。耳は遠くなったが、恬淡とした生活であった。

「死ぬまで勉強」という樋口の持論は、自らの人生において実践された。七十歳を超えてもドイツ語やロシア語の原書にあたり、『戦争と平和』や『アンナ・カレーニナ』などを読み、自分の感想をノートに書き留めた。

一九七〇年（昭和四十五年）には、日本イスラエル協会から、名誉評議員の称号が贈与されている。

その後は身体の衰えも顕著となり、八畳の自室で過ごすことが多くなった。食事を終えた時には、

「ママ、ありがとう」

と妻の静子に、そっと手を合わせた。すべてのものに対する感謝の気持ちの中に、かつての陸軍中将はいた。

同年十月十一日、その日、樋口は朝からあまり元気がなかった。何か病気というわけでもなかったが、大好きな煙草にも手をつけようとしない。静子は長女の美智子の所に電話をかけた。美智子の夫である玉村一雄が、医師であったからである。早速、一雄は樋口のもとに駆けつけたが、特に目立った問題もなく、血圧も安定しており、その時は朗らかに会話を交わしたという。一雄は一安心し、しばらく様子を見た後、樋口も一緒にみんなで夕食を済ませた。しかし、これが樋口季一郎にとって最後の「一家団らく」となった。

夕食後、樋口は自室に戻ったが、その後、トイレに入った様子がうかがえた。一雄は、

「トイレから戻ったら僕は帰りますね」

と言って樋口を待ったが、なかなか出てこない。静子が不審に思ってドア越しに声をかけたが、中から反応がない。

「開けますよ、いいですね」

駆けつけた一雄が、そう言って扉の鍵を開けた。そこで一雄の目に飛び込んできたのは、洋式の便座に座ったまま、がくっと脱力している樋口の姿であった。孫の隆一氏はその時、その場所にいた。

「一雄さんが祖父の身体を担ぐのを私も手伝って、トイレから出して横にしました」

樋口はすでにその生涯を終えていた。

隆一氏によれば、静子は一言、こう言ったという。

「家族みんながいる中で、しあわせでしたね」

一日も病気で苦しむことなく、樋口はこの世を去った。享年八十二歳。老衰であった。近親者によれば、樋口の死に顔は何とも穏やかなものであったという。

大磯に眠る

墓所は神奈川県中郡大磯町の日蓮宗妙大寺にある。樋口は一九六〇年（昭和三十五年）四月から大磯町で五年ほど暮らしたが、その際に同寺の住職と親しくなり、「自分の没後はここで眠りたい」と岐阜にあった樋口家の墓を移していた。樋口は大磯在住中、ステッキを持って町中をよく散歩したが、その途中でこの寺を見つけ、境内の庭をいたく気に入ったのが、同寺との出会いであったという。庭からは坂田山を眺めることができる。

法号を「真如院殿伯堂日季居士」という。現在、樋口の墓の近くには、生前の樋口と親交の深かった作家の相良俊輔が眠っている。樋口の魅力に惚れ込み、

「閣下の横で眠りたい」

と語っていた相良の願いが叶えられた形である。

湘南の潮風が、二人の墓石を優しく撫でていた。

私は現在、大磯町に住んでいる。この取材を開始した時、樋口が大磯に暮らしたこと、さらには、彼の菩提寺が我が家のすぐ近くにあることなど、夢にも思わず、取材の途中でこの事実が判明し、その不思議な偶然に驚いた次第である。私の祖父母、両親も大磯の人であり、ということは小さな町のこと、晩年の樋口とすれ違ったり、話を交わしていた可能性もあったはずである。私はこれを奇縁と思わずにはいられない。

淡路島から北海道、イスラエルにまで及んだ取材を終えた私が最後に訪れたのは、自宅から徒歩数分の樋口の菩提寺であった。

あとがき

樋口が好んだ言葉の一つに「善悪不二」があった。

〈世の中には絶対の善もなく、絶対の悪もない。善悪は相関的なものである〉（『遺稿集』）

樋口の生涯は、この言葉の一個の証明であったとも言い得る。

一九三五年（昭和十年）に起きた「相沢事件」の前後、日本陸軍の青年将校たちが好んで使った言葉に「大善」と「小善」というものがあった。この場合、「小善」とは天皇に忠実に仕えることであり、「大善」とは「天皇の大御心に沿って、『より前に進んで』お仕えすること」だという論理である。そしてこの「大善」は、「天皇のためになることならば手段を選ばない」という解釈へと繋がり、それが「二・二六事件」などの決起へと繋がっていった。

歴史を紐解けば、「大善」と思ったものが、その周囲、または後世から見れば「大悪」となるケースがいかに多いことか。「善」や「悪」といった言葉を過信した末の物差しでは、人間社会の寸法を正確に計ることができないのみならず、誤った結論しか導き出せない。「善」の反意語は「悪」ではなく、「もう一つの善」であろう。

樋口の人生に関して言えば、オトポール事件を単なる「善」として掲げるだけでは、その実体の輪郭はぼんやりとしたものに減じるであろう。当の樋口自身も、自らの行為をそのようには位置づけていなかったはずである。

同時に、アッツ島玉砕についても、同様の図式の裏返しが成り立つ。

ただ、樋口の人生を追う取材を続け、彼の人生を私なりに忖度《そんたく》する中で、私の中に生じた確信めいた一つの仮説がある。それは、戦後の樋口の心の中にあったのは、オトポールよりもアッツ島ではなかったかということだ。ユダヤ人救出劇の主役として、時に英雄視される樋口だが、その心の奥底には、決して癒されることのない苦衷が、ずっと静かに沈殿していたのではないか。

樋口はオトポール事件、あるいは占守島の戦闘に関して自らを「善」として誇示することをしなかったが、アッツ島については自身を「悪」と位置づけ、それを一人で抱え込み、英霊にぬかずき、苦悩し続けたように思う。

世の中には、善を大袈裟に誇ろうとする人もいれば、悪に煩悶し続ける人もいる。

だが概して言えば、清濁あいまみれる人生において、喜びは束の間だが、哀しみはしつこい。最愛の家族と共に穏やかな時を過ごした晩年の樋口であったが、しかし例えば、朝、起きた時、または夜中にふと目覚めた時、あるいは、畑に生えた雑草を毟り取っている時、彼の脳裡にはどのような景色が浮かんでいたのであろうか。
晩年、樋口の自室には小さな水彩画が飾られていた。それはアッツ島の風景を描いた絵であったという。

了

樋口季一郎年譜

年		出来事
一八八八年（明治二一年）	八月	兵庫県三原郡阿万村に出生
一九〇二年（明治三五年）	九月	大阪陸軍地方幼年学校入学
一九〇九年（明治四二年）	五月	陸軍士官学校卒業（第二一期）
一九一八年（大正七年）	一一月	陸軍大学校卒業
一九一九年（大正八年）	一二月	ウラジオストック特務機関員
一九二〇年（大正九年）	一〇月	ハバロフスク特務機関長
一九二二年（大正一一年）	四月	参謀本部部員
一九二三年（大正一二年）	一二月	朝鮮軍参謀
一九二五年（大正一四年）	五月	ポーランド公使館付武官
一九二八年（昭和三年）	二月	歩兵第三四連隊付（静岡）
一九二九年（昭和四年）	八月	陸軍省新聞班員
一九三〇年（昭和五年）	八月	東京警備参謀
一九三三年（昭和八年）	八月	歩兵第四一連隊長（福山）
一九三五年（昭和一〇年）	八月	第三師団参謀長（ハルビン）

一九三七年（昭和一二年）
八月　ハルビン特務機関長

一九三八年（昭和一三年）
三月　オトポール事件
七月　参謀本部第二部長

一九三九年（昭和一四年）
一〇月　陸軍中将
一二月　第九師団長（金沢）

一九四二年（昭和一七年）
八月　北部軍司令官（札幌）

一九四三年（昭和一八年）
五月　アッツ島玉砕
七月　キスカ島撤退

一九四四年（昭和一九年）
三月　第五方面軍司令官（札幌）

一九四五年（昭和二〇年）
八月　北部復員監

一九四七年（昭和二二年）
一二月　宮崎県小林市に転居

一九六〇年（昭和三五年）
四月　神奈川県大磯町に転居

一九六五年（昭和四〇年）
一月　神奈川県相模原市に転居

一九六六年（昭和四一年）
七月　大阪府豊中市に転居

一九六八年（昭和四三年）
七月　アッツ島戦没者慰霊除幕式に参列

一九七〇年（昭和四五年）
九月　東京都文京区に転居
一〇月　老衰のため死去（享年八二歳）

早坂 隆（はやさか たかし）

1973年生まれ。愛知県出身。ノンフィクション作家。著書に『永田鉄山 昭和陸軍「運命の男」』『松井石根と南京事件の真実』（以上、文春新書）、『ペリリュー玉砕 南洋のサムライ・中川州男の戦い』『昭和十七年の夏 幻の甲子園 戦時下の球児たち』（文春文庫）、『鎮魂の旅 大東亜戦争秘録』（中央公論新社）、『戦時演芸慰問団「わらわし隊」の記録 芸人たちが見た日中戦争』（中公文庫）など。日本文藝家協会会員。

公式ブログ http://dig-haya.blog.so-net.ne.jp/

文春新書

758

指揮官《しきかん》の決断《けつだん》

——満州とアッツの将軍 樋口季一郎

2010年 6月20日 第1刷発行

2025年10月15日 第7刷発行

著　者　早　坂　　隆

発行者　前　島　篤　志

発行所　株式会社　文　藝　春　秋

〒102-8008 東京都千代田区紀尾井町 3-23

電話（03）3265-1211（代表）

印刷所　理　想　社

付物印刷　大 日 本 印 刷

製本所　大　口　製　本

定価はカバーに表示してあります。

万一、落丁・乱丁の場合は小社製作部宛お送り下さい。

送料小社負担でお取替え致します。

ISBN978-4-16-660758-7